中国出版"走出去"重点图书出版计划立项
北大主干基础课教材立项
北大版商务汉语教材·新丝路商务汉语速成系列

CW00687392

新丝路

New Silk Road Business Chinese

初级速成商务汉语 Ⅰ

李晓琪　主编

蔡云凌　编著

北京大学出版社
PEKING UNIVERSITY PRESS

图书在版编目(CIP)数据

新丝路:初级速成商务汉语 I /李晓琪主编. —北京:北京大学出版社,2009.4
(北大版商务汉语教材·新丝路商务汉语速成系列)
ISBN 978-7-301-13717-8

Ⅰ.新… Ⅱ.李… Ⅲ.商务-汉语-对外汉语教学-教材 Ⅳ.H195.4

中国版本图书馆 CIP 数据核字(2008)第 058502 号

书　　　　名:	新丝路——初级速成商务汉语 I
著作责任者:	李晓琪　主编
责 任 编 辑:	邓晓霞
标 准 书 号:	ISBN 978-7-301-13717-8/H · 1973
出 版 发 行:	北京大学出版社
地　　　　址:	北京市海淀区成府路 205 号　100871
网　　　　址:	http://www.pup.cn
电 子 信 箱:	zpup@pup.pku.edu.cn
电　　　　话:	邮购部 62752015　发行部 62750672　出版部 62754962
	编辑部 62752028
印 　刷 　者:	北京中科印刷有限公司
经 　销 　者:	新华书店
	889 毫米×1194 毫米　16 开本　9.25 印张　216 千字
	2009 年 4 月第 1 版　2015 年 10 月第 3 次印刷
定　　　　价:	50.00 元(附一张 CD)

新丝路商务汉语系列教材简介

近年来，随着中国经济的持续快速发展，中国与其他国家贸易交流往来日益密切频繁，中国在国际社会的政治经济和文化影响力日益显著，与此同时，汉语正逐步成为一个重要的世界性语言。

与此相应，来华学习汉语和从事商贸工作的外国人成倍增加，他们对商务汉语的学习需求非常迫切。近年来，国内已经出版了一批有关商务汉语的各类教材，为缓解这种需求起到了很好的作用。但是由于商务汉语教学在教学理念及教学方法上都还处于起步、探索阶段，与之相应的商务汉语教材也在许多方面都存在着进一步探索和提高的空间。北京大学对外汉语教育学院自2002年起受中国国家汉语国际推广领导小组办公室的委托，承担中国商务汉语考试（BCT）的研发，对商务汉语的特点及教学从多方面进行了系统研究，包括商务汉语交际功能、商务汉语交际任务、商务汉语语言知识以及商务汉语词汇等，对商务汉语既有宏观理论上的认识，也有微观细致的研究；同时学院拥有一支优秀的多年担任商务汉语课程和编写对外汉语教材的教师。为满足社会商务汉语学习需求，在认真研讨和充分准备之后，编写组经过3年的努力，编写了一套系列商务汉语教材，定名为——新丝路商务汉语教程。

本套教程共22册，分三个系列。

系列一，综合系列商务汉语教程，8册。本系列根据任务型教学理论进行设计，按照商务汉语功能项目编排，循序渐进，以满足不同汉语水平的人商务汉语学习的需求。其中包括：

初级2册，以商务活动中简单的生活类任务为主要内容，重在提高学习者从事与商务有关的社会活动的能力；

中级4册，包括生活类和商务类两方面的任务，各两册。教材内容基本覆盖与商务汉语活动有关的生活、社交类任务和商务活动中的常用业务类任务；

高级2册，选取真实的商务语料进行编写，着意进行听说读写的集中教学，使学习者通过学习可以比较自由、从容地从事商务工作。

系列二，技能系列商务汉语教程，8册，分2组。其中包括：

第1组：4册，按照不同技能编写为听力、口语、阅读、写作4册教材。各册注意突出不同技能的特殊要求，侧重培养学习者某一方面的技能，同时也注意不同技能相互间的配合。为达此目的，技能系列商务汉语教材既有分技能的细致讲解，又按照商务汉语需求提供大量有针对性的实用性练习，同时也为准备参加商务汉语考试（BCT）的人提供高质量的应试培训材料。

第2组：4册，商务汉语技能练习册。其中综合练习册（BCT模拟试题集）2册，专项练习册2册（一本听力技能训练册、一本阅读技能训练册）。

系列三，速成系列商务汉语教程，6册。其中包括：

初级2册，以商务活动中简单的生活类任务为主要内容，重在提高学习者从事与商务有关的社会活动的能力；

中级2册，包括生活类和商务类两方面的任务。教材内容基本覆盖与商务汉语活动有关的生活、社交类任务和商务活动中的常用业务类任务；

高级2册，选取真实的商务语料进行编写，着意进行听说读写的集中教学，使学习者通过学习可以比较自由、从容地从事商务工作。

本套商务汉语系列教材具有如下特点：

1、设计理念新。各系列分别按照任务型和技能型设计，为不同需求的学习者提供了广泛的选择空间。

2、实用性强。既能满足商务工作的实际需要，同时也是BCT的辅导用书。

3、覆盖面广。内容以商务活动为主，同时涉及与商务活动有关的生活类功能。

4、科学性强。教材立足于商务汉语研究基础之上，吸取现有商务汉语教材成败的经验教训，具有起点高、布局合理、结构明确、科学性强的特点，是学习商务汉语的有力助手。

总之，本套商务汉语系列教材是在第二语言教材编写理论指导下完成的一套特点鲜明的全新商务汉语系列教材。我们期望通过本套教材，帮助外国朋友快速提高商务汉语水平，快速走进商务汉语世界。

新丝路商务汉语教材编写组

于北京大学勺园

新丝路商务汉语系列教材总目

新丝路商务汉语综合系列　李晓琪　主编	
新丝路初级商务汉语综合教程 I	章　欣　编著
新丝路初级商务汉语综合教程 II	章　欣　编著
新丝路中级商务汉语综合教程(生活篇) I	刘德联　编著
新丝路中级商务汉语综合教程(生活篇) II	刘德联　编著
新丝路中级商务汉语综合教程(商务篇) I	蔡云凌　编著
新丝路中级商务汉语综合教程(商务篇) II	蔡云凌　编著
新丝路高级商务汉语综合教程 I	韩　熙　编著
新丝路高级商务汉语综合教程 II	韩　熙　编著

新丝路商务汉语技能系列　李晓琪　主编	
新丝路商务汉语听力教程	崔华山　编著
新丝路商务汉语口语教程	李海燕　编著
新丝路商务汉语阅读教程	林　欢　编著
新丝路商务汉语写作教程	林　欢　编著
新丝路商务汉语考试阅读习题集	李海燕　编著
新丝路商务汉语考试听力习题集	崔华山　编著
新丝路商务汉语考试仿真模拟试题集 I	李海燕　林　欢　崔华山　编著
新丝路商务汉语考试仿真模拟试题集 II	李海燕　崔华山　林　欢　编著

新丝路商务汉语速成系列　李晓琪　主编	
新丝路初级速成商务汉语 I	蔡云凌　编著
新丝路初级速成商务汉语 II	蔡云凌　编著
新丝路中级速成商务汉语 I	崔华山　编著
新丝路中级速成商务汉语 II	崔华山　编著
新丝路高级速成商务汉语 I	李海燕　编著
新丝路高级速成商务汉语 II	李海燕　编著

编写说明

适用对象

本书是新丝路商务汉语速成系列教材的初级篇，适合汉语初学者学习。学习者学完本书两册后，可用汉语进行日常生活会话，并从事简单的商务活动。

本书特色

本书的特色可以"实用、有趣、灵活、新颖"这四个词语来概括：

1.紧密结合商务汉语考试（BCT）大纲安排教学内容；

2.突破教材的固有模式，根据所学内容的不同来安排课文的结构和内容；

3.围绕商务人士的日常生活、商务活动编写短小精炼的对话和短文；

4.课文及练习中采用大量的图片、图表；

5.练习形式丰富多样，并突出加强听说技能训练；

6.提供与商务活动相关的背景、文化知识介绍。

全书内容及结构

上册：以日常生活为主

课文序列	课文题目	主要内容
1	多少钱？	简单购物
2	几点上班？	时间表达
3	这是我的名片。	简单的自我介绍
4	我父亲是银行职员。	简单介绍家庭成员
5	来一个麻婆豆腐！	点菜、结账
6	我打的去公司。	出行方式

课文序列	课文题目	主要内容
7	天气越来越热了。	天气情况
8	他穿着一套西服。	衣着打扮
9	老板是一个工作狂。	兴趣爱好
10	我是2000年开始工作的。	学习或工作经历
11	男职员是女职员的两倍。	图表说明
12	今年的带薪年假你休了吗?	计划打算

下册:以基本的商务活动为主,以表达功能为纲

课文序列	课文题目	主要内容
1	文件在哪儿?	描述房间布置、人物外貌
2	这是什么材料的?	简要介绍产品
3	塑料的不如木头的舒服。	比较
4	后来呢?	叙述事件过程
5	我能请假吗?	员工请假
6	实在抱歉!	致歉
7	您看这对珍珠耳环怎么样?	建议
8	谢谢你的邀请。	邀请与应邀
9	开业大吉!	祝贺
10	无聊透了!	抱怨
11	过奖了!	夸奖
12	多亏了你们的帮助。	感谢

课文结构及说明

本书上册出现了几大板块,每一板块之下包括词语学习、说明和练

习。对这几大板块的具体说明如下：

板块名称	主要内容	意义
认一认	图片	学习生词
说一说	图片、表格及相应的句子	1.复习生词； 2.进行句式表达
学一学	语法点、表达方式	掌握语法知识和某些特别的表达方式
练一练	1-2个以实际场景为背景的对话或小短文	1复习前两个板块所学的词汇、句式； 2.掌握会话的承接、连贯等； 3.进行简单的成段表达。
听一听	与课文内容相关的听力练习	复习所学内容，提高听力水平
补充词语	与课文内容相关的词语	扩大词汇量，作为教学内容的补充
文化点击	与课文内容相关的、有关中国国情、文化等的介绍和说明	使学习者了解中国的国情与文化

本书下册在结构上与上册有所不同，由于下册是以表达功能为纲来安排编写的，如描述、说明、道谢、致歉、祝贺等，因此根据所学内容的不同，每课的结构也各不相同，没有固定的板块，这里不再具体说明。

结　语

所谓"智者千虑，必有一失"，本书在编写过程中一定还存在着很多错误和不足，真诚欢迎本书的使用者提出宝贵的意见和建议。

在本书编写和出版的过程中，北京大学对外汉语教育学院李晓琪教授、北京大学出版社邓晓霞编辑、宋立文编辑给予了悉心指导和帮助，在此一并表示感谢。

编者

2009年2月

目 录
Contents

汉语基本语音知识　Basic Knowledge on Chinese Phonetics　　　1

常用短句　Common Sentence Patterns　　　7

Dì yī kè
第一课　　多少　钱？　　　9
Lesson 1　How much is it?

Dì èr kè
第二课　　几点　上　班？　　　17
Lesson 2　When do you start to work?

Dì sān kè
第三课　　这 是 我 的 名 片　　　26
Lesson 3　This is my business card.

Dì sì kè
第四课　　我 父亲 是 银行 职员　　　35
Lesson 4　My father works in a bank.

Dì wǔ kè
第五课　　来一个 麻婆 豆腐！　　　44
Lesson 5　Mapo Tofu, please.

Dì liù kè
第六课　　我 打 的 去 公 司　　　54
Lesson 6　I took a taxi to go to work.

Dì qī kè
第七课　　天气 越来越 热了　　　63
Lesson 7　It becomes hotter and hotter.

Dì bā kè
第八课　　他 穿着 一套 西服　　　72
Lesson 8　He's in a Western suit.

—1—

Dì jiǔ kè
第九课   Lǎobǎn shì yí ge gōngzuòkuáng
         老板 是一个 工作 狂   80
Lesson 9   The boss is a workaholic.

Dì shí kè
第十课   Wǒ shì nián kāishǐ gōngzuò de
         我 是2000年 开始 工作 的   92
Lesson 10   I started to work in 2000.

Dì shíyī kè
第十一课 Nán zhíyuán shì nǚ zhíyuán de liǎng bèi
         男 职员 是 女 职员 的 两 倍   101
Lesson 11   The number of male workers is two times more than
            that of female ones.

Dì shí'èr kè
第十二课 Jīnnián de dàixīn niánjià nǐ xiū le ma?
         今年 的 带薪 年假 你 休了吗?   112
Lesson 12   Do you have your paid annual vacation this year?

附录一   听力录音文本   122
         Listening Script for Recording

附录二   本书12个话题的常用句   126
         Common Sentences on 12 Topics of This Book

附录三   生词总表   128
         Vocabulary List

汉语基本语音知识
Basic Knowledge on Chinese Phonetics

汉语拼音的音节结构 ▷ (Syllabic Structure of Chinese Pinyin)

　　汉语拼音的音节可分为声母和韵母两大部分，声调贯穿于整个音节。其中，韵母又可分为韵头、韵腹和韵尾三部分。其中，韵腹是必不可少的。如下表：

　　Dominated by the tone, the syllable of Chinese Pinyin can be divided into two parts: the initial consonant and the final vowel. The final vowel can be further devided into head, middle and tail of the vowel. Of them, the middle vowel is absolutely necessary.See as follows:

音节	声调（一声、二声、三声、四声）			
	声母 （辅音声母21个）	韵母		
		韵头	韵腹	韵尾
		i, u, ü	a, o, e, i, u, ü	-i, -u, -n, -ng

举例 ＼ 组成	声母	韵母			声调
		韵头	韵腹	韵尾	
我		u	o		三声
爱			a	i	四声
你	n		i		三声

汉语的声调 ▷ (Chinese Tone)

　　汉语有四个声调，如下图：
Chinese Pinyin has four tones shown as follows

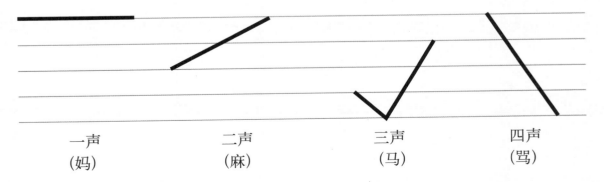

| 一声
（妈） | 二声
（麻） | 三声
（马） | 四声
（骂） |

1. 轻声 [Light Tone]

汉语普通话每个音节都有一定的声调，但是在词或句中，一些音节常会失去原有的音调，读成一个又轻又短的调子，这种特别的声调就是轻声。轻声的实际发音受前一个字声调高低的影响。如下图：

Each syllable of Chinese Putonghua has a definite tone, but in words or sentences, some syllables often lose their original tones, and are read as short and soft ones, this kind of special tones is called Light Tone. The actual pronunciation of Light Tone is affected by the tone of previous character. See as follows:

声调类型	例词
一声　　　　轻声	休息 xiūxi (take a break) 衣服 yīfu (clothes) 桌子 zhuōzi (table, desk)
二声　　　　轻声	孩子 háizi (child) 学生 xuésheng (student) 行李 xíngli (luggage)
三声　　　　轻声	喜欢 xǐhuan (like) 姐姐 jiějie (elder sister) 椅子 yǐzi (chair)
四声　　　　轻声	月亮 yuèliang (moon) 地方 dìfang (place) 事情 shìqing (thing)

2. 三声变调 [Tonal Modification of the Third Tone]

在语流中，三声字受后一音节声调的影响，会发生变化。在双音节词语中，当前一个音节为三声，后一个音节为一声、二声或四声时，前一个三声音节失去本调后边上升的部分，变为一个低降调；当前一个音节为三声，后一个音节也为三声时，前一个三声音节失去本调，读音近似于二声。如下表：

In speech flow, being affected by the tone of the following syllable, the Third Tone will change correspondingly. In disyllabic word, when the previous syllable is in the third tone, and following one in the first, the second or the fourth tone, then the third tone of the previous syllable will lose its rising part in the end and become a falling tone; when both the previous and the following syllables are in the third tone, the first will lose its original tone and be pronounced similar to the second tone as shown below:

本调	变调	例词
三声＋一声/二声/四声	低降调＋一声/二声/四声	好吃 hǎochī (tasty) 友情 yǒuqíng (friendship) 礼貌 lǐmào (courtesy)
三声＋三声	二声＋三声	想法 xiǎngfǎ (idea)

3. "一"的变调 [Tonal Modification of the Pronunciation of "一"]

"一"作为独立音节，在词的末尾时，读原调yī。在一个词语中，在一声、二声和三声音节前，变为四声yì；"一"在四声音节前，变为二声yí。要注意的是，"一"作序数词时，表示"第一"的排序，即使处在一声、二声和三声音节前，也仍读作原调yī。如下表：

As an independent syllable at the end of a word, "一" is promounced in its original first tone yī. While in a word, in case "一" appears before the first-, the second- and the third-tone syllable, it will be pronounced as the fourth tone yì; in case "一" is before the fourth-tone syllable, its tone will be modified into the second tone yí. It shall be noted that when "一" is used as the part of the ordinal number as in "第一", even if it's followed by the first-, the second-, and the third-tone syllable, it will still be pronounced as the original tone yī. Please refer to the following table for more examples:

本调	变调	例词
"一（yī）"＋一声/二声/三声	yì＋一声/二声/三声	一生 yìshēng (all one's life) 一直 yìzhí (all along) 一起 yìqǐ (together)

续 表

"一（yī）" ＋四声	yí＋四声	一再 yízài (again and again) 一定 yídìng (definitely)
一（yī）		一班 yībān (class one) 一层 yīcéng (the first floor)

4．"不"的变调
[Tonal Modification of the Pronunciation of "不"]

　　"不"单独念或用在词句末尾都读原调bù。在一个双音节词或组合在一起的词语中，"不"在一声、二声和三声音节前，仍读四声bù；在四声音节前，变为二声bú。如下表：

　　An independent "不" or a "不" at the end of a word or a sentence shall be pronounced in its original tone of bù. In a disyllabic word or when combining with other words, it shall be pronounced in the fourth tone bù when it's before the first-, the second-, or the third-tone syllable; while being followed by a fourth-tone syllable, it shall be pronounced in the second tone bú. Please refer to the table below for more examples:

本调	变调	例词
"不（bù）" ＋ 一声/二声/三声	bù＋一声/二声/三声	不吃 bù chī (not eat) 不如 bùrú (be not so good as) 不好 bù hǎo (not good)
"不（bù）" ＋ 四声	bú＋四声	不去 bú qù (not go) 不累 bú lèi (not tired)

普通话声韵配合音节表1 ▷
(Table of Combination of Initials and Finals in Putonghua：1)

韵 声	以a，o，e开头的韵母												−i
	a	o	e	ai	ei	ao	ou	an	en	ang	eng	ong	
b	ba	bo		bai	bei	bao		ban	ben	bang	beng		
p	pa	po		pai	pei	pao	pou	pan	pen	pang	peng		
m	ma	mo	me	mai	mei	mao	mou	man	men	mang	meng		
f	fa	fo			fei		fou	fan	fen	fang	feng		
d	da		de	dai	dei	dao	dou	dan	den	dang	deng	dong	
t	ta		te	tai	tei	tao	tou	tan		tang	teng	tong	

n	na		ne	nai	nei	nao	nou	nan	nen	nang	neng	nong	
l	la		le	lai	lei	lao	lou	lan		lang	leng	long	
g	ga		ge	gai	gei	gao	gou	gan	gen	gang	geng	gong	
k	ka		ke	kai	kei	kao	kou	kan	ken	kang	keng	kong	
h	ha		he	hai	hei	hao	hou	han	hen	hang	heng	hong	
j													
q													
x													
z	za		ze	zai	zei	zao	zou	zan	zen	zang	zeng	zong	zi
c	ca		ce	cai	cei	cao	cou	can	cen	cang	ceng	cong	ci
s	sa		se	sai		sao	sou	san	sen	sang	seng	song	si
zh	zha		zhe	zhai	zhei	zhao	zhou	zhan	zhen	zhang	zheng	zhong	zhi
ch	cha		che	chai		chao	chou	chan	chen	chang	cheng	chong	chi
sh	sha		she	shai		shao	shou	shan	shen	shang	sheng		shi
r			re			rao	rou	ran	ren	rang	reng	rong	ri

普通话声韵配合音节表2 ▷

(Table of Combination of Initials and Finals in Putonghua：2)

韵 声	以i开头的韵母										以ü开头的韵母			
	i	ia	ie	iao	iou (iu)	ian	in	iang	ing	iong	ü	üe	üan	ün
b	bi		bie	biao		bian	bin		bing					
p	pi		pie	piao		pian	pin		ping					
m	mi		mie	miao		mian	min		ming					
f														
d	di	dia	die	diao	diu	dian			ding					
t	ti		tie	tiao		tian			ting					
n	ni		nie	niao	niu	nian	nin	niang	ning		nü	nüe		
l	li	lia	lie	liao	liu	lian	lin	liang	ling		lü	lüe		
g														
k														
h														
j	ji	jia	jie	jiao	jiu	jian	jin	jiang	jing	jiong	ju	jue	juan	jun
q	qi	qia	qie	qiao	qiu	qian	qin	qiang	qing	qiong	qu	que	quan	qun

x	xi	xia	xie	xiao	xiu	xian	xin	xiang	xing	xiong	xu	xue	xuan	xun
z														
c														
s														
zh														
ch														
sh														
r														

普通话声韵配合音节表3 ▷
(Table of Combination of Initials and Finals in Putonghua:3)

声＼韵	以u开头的韵母								
	u	ua	uo	uai	uei(ui)	uan	uen(un)	uang	ueng
b	bu								
p	pu								
m	mu								
f	fu								
d	du		duo		dui	duan	dun		
t	tu		tuo		tui	tuan	tun		
n	nu		nuo			nuan	nun		
l	lu		luo			luan	lun		
g	gu	gua	guo	guai	gui	guan	gun	guang	
k	ku	kua	kuo	kuai	kui	kuan	kun	kuang	
h	hu	hua	huo	huai	hui	huan	hun	huang	
j									
q									
x									
z	zu		zuo		zui	zuan	zun		
c	cu		cuo		cui	cuan	cun		
s	su		suo		sui	suan	sun		
zh	zhu	zhua	zhuo	zhuai	zhui	zhuan	zhun	zhuang	
ch	chu	chua	chuo	chuai	chui	chuan	chun	chuang	
sh	shu	shua	shuo	shuai	shui	shuan	shun	shuang	
r	ru	rua	ruo		rui	ruan	run		

常 用 短 句
Common Sentence Patterns

Nǐ hǎo!
1. 你 好！

Hello!

Wǒ shì Měiguórén nǐ ne?
2. 我 是 美国人，你 呢？

I'm an American, and you?

Wǒ jiào Mike nǐ ne?
3. 我 叫 Mike，你 呢？

My name is Mike. May I have your name?

Xièxie!
4. 谢谢！

Thank you!

Duì bu qǐ!
5. 对不起！

I'm sorry!

Méi guānxi!
6. 没 关系！

That's alright!

Zàijiàn!
7. 再见！

Goodbye!

Xiànzài shàng kè
8. 现在 上 课。

It's class time now.

Wǒmen xuéxí shāngwù hànyǔ
9. 我们 学习 商务 汉语。

We'll learn Business Chinese.

Rènshi nǐ hěn gāoxìng!
10. 认识 你 很 高兴！

Nice to meet you!

Qǐng zài shuō yí biàn?
11. 请 再 说 一遍？

Would you repeat that again?

Xǐshǒujiān zài nǎr ?
12. 洗手间 在 哪儿？

Where's the toilet?

Kě yǐ bāng wǒ yíxià ma?
13. 可以 帮 我 一下 吗？

Can you do me a favor?

Jiù mìng a !
14. 救 命 啊！

Help!

Dì yī kè
第一课 ▶▶
Lesson 1

☆=认识人民币，表达钱数
　　Get familiar with RMB and learn to express the amount of money.

☆=简单购物
　　Simple shopping

Duōshao qián?
多少　钱?
How much is it?

认一认 ▷　(Recognizing)

看人民币的样币图案学习词语。
Learn these words by remembering the pictures on paper money.

词语学习 [Words Study]

	yuán	kuài	jiǎo	máo	fēn
1.	元	块	角	毛	分
	yuan	kuai	jiao	mao	fen

2.
yī 一	èr 二	sān 三	sì 四	wǔ 五	liù 六	qī 七	bā 八	jiǔ 九	shí 十
one	two	three	four	five	six	seven	eight	nine	ten

3.
líng 零	liǎng 两	bǎi 百
zero	two	hundred

说　明 [Explanation]

○ 人民币的读法
How to read RMB

数字 百 + 数字 十 + 数字 块 + 数字 毛 + 数字 分

number 百 + number 十 + number 块 + number 毛 + number 分

1. 0.38元	读作：三毛八（分）
2. 7.66元	读作：七块六毛六（分）
3. 59.30元	读作：五十九块三（毛）
4. 126.30元	读作：一百二十六块三（毛）
5. 507.00元	读作：五百零七块
6. 360.00元	读作：三百六十块

○ "二块"还是"两块"
"二块" or "两块"

"2"有时候读作"二"，有时候读作"两"。如：

Sometimes "2" is read as "二"，sometimes "2" is read as "两".E.g.

两元　两块钱　22（二十二）　222（二百二十二）

○ "两元"和"两块"
"两元" and "两块"

在口语中，用"块"和"毛"；在书面上，用"元"和"角"。

"块" and "毛" are used in oral Chinese, while "元" and "角" are used in written Chinese.

练　习 [Exercises]

☆请流利地读出下面的钱数。
Please read out the following amount of money fluently.

268.00元	53.60元	4.20元	109.00元	880.00元

☆小组活动：请小组中的一个人写出几个钱数并读出来，其他同学听后写出来。

Group activity: Ask one of your group to write down several amount of money, and read them out, then ask other classmates to write out after listening.

1 _____ 2 _____

3 _____ 4 _____

说一说 ▷ (Talking about It)

商品和价格
Commodity and Price

 4.00元

 9.80元

 3.50元

 208.00元

 166.00元

 17.00元

词语学习 [Words Study]

píng	hé	gè	shuāng	jiàn	dǐng
1. 瓶	盒	个	双	件	顶
bottle	box	*measure word*	pair of	piece	*measure word*

kělè	niúnǎi	sānmíng zhì	xié	xù	màozi
2. 可乐	牛奶	三明治	鞋	T恤	帽子
Cola	milk	sandwich	shoes	T shirt	hat

duōshǎo	qián
3. 多少	钱
How much	money

说 明 [Explanation]

○数量表达的方法
The Way to Express Quantity

数字＋量词＋名词。如：

Numerals+measure word+noun. E.g.

一双鞋　两件T恤　三瓶可乐

○询问价钱的方法
The Way to Inquire Price

询问价钱时一般用：一＋量词＋名词＋多少钱？如：

We usually use "一＋measure word＋noun＋多少钱？" to inquire the price of goods. E.g.

一双鞋多少钱？

练 习 [Exercises]

☆根据上页图片提问或回答。

Ask or answer according to the pictures at the previous page.

1. 问：_____？　　答：四块。

2. 问：_____？　　答：九块八。

3. 问：_____？　　答：三块五。

4. 问：一双鞋多少钱？　　答：_____。

5. 问：一件T恤多少钱？　　答：_____。

6. 问：一顶帽子多少钱？　　答：_____。

☆小组活动：调查并写出自己感兴趣的商品的价钱，互问互答。

Group activity: Investigate and write out the price of the goods you're interested in. Ask and answer with each other.

1. _____？　　答：_____。

2. _____？　　答：_____。

3. _____？　　答：_____。

4. _____？　　答：_____。

练一练 ▷ **(Practising)**

在商店买东西
Shopping in the Store

◎ **对话一 [Dialogue 1]**

售货员：一听可乐，一盒牛奶，一个三明治，一共十七块三。

顾　客：给您二十块。

售货员：找您两块七。

◎ **对话二 [Dialogue 2]**

顾　客：师傅，我要这件T恤、这双鞋。

售货员：T恤一百六十六块，鞋二百零八块，一共三百七十四块。

顾　客：给您三百八。

售货员：找您六块。

词语学习 [Words Study]

shòuhuòyuán	gùkè	shīfu	
1．售货员	顾客	师傅	
salesman	customer	master	

nín	wǒ	zhè
2．您	我	这
you	I	this

mǎi	gěi	zhǎo	yào
3．买	给	找	要
buy	give	find	want

yígòng
4．一共
altogether

说　明 [Explanation]

○动词和名词的基本语序
The General Word Order of Verb and Noun.

动词＋名词。如：

Verb+noun. E.g.

买可乐　找钱　给您

〇怎么用"这"

How to Use the Word "这"

这＋量词＋名词。如：

这＋measure word＋noun. E.g.

这瓶可乐　这盒牛奶　这顶帽子

〇怎么用"给"（一）

How to Use the Word "给"（Ⅰ）

给＋人＋名词。如：

给＋person＋noun. E.g.

给您可乐　给顾客鞋　给售货员钱

 练　习 [Exercises]

☆把下面的词语排列成一句话。

Make a sentence with the the following words.

1. 售货员　给　钱

＿＿＿＿＿＿＿＿＿＿＿＿＿＿＿＿＿

2. 买　我　双　鞋　这

＿＿＿＿＿＿＿＿＿＿＿＿＿＿＿＿＿

3. T恤　一共　件　块　四百九十八　三

＿＿＿＿＿＿＿＿＿＿＿＿＿＿＿＿＿

4. 您　钱　找

＿＿＿＿＿＿＿＿＿＿＿＿＿＿＿＿＿

☆小组活动：一个人是售货员，一个人是顾客，按照下面的格式，并用【说一说】小组活动中列出的商品模仿对话。

Group activity: You act as a salesman, and one of your classmates acts as a customer. Complete the following dialogue with the commodity listed in Group Activity of [Talk about It].

顾　客：师傅，我要＿＿＿＿＿＿＿、＿＿＿＿＿＿＿、＿＿＿＿＿＿＿。

售货员：＿＿＿＿＿＿＿，＿＿＿＿＿＿＿，＿＿＿＿＿＿＿，一共＿＿＿＿＿＿＿。

顾　客：给＿＿＿＿＿＿＿＿＿＿。

售货员：找＿＿＿＿＿＿＿＿＿＿。

听一听 ▷ （Listening）

◇听后写出钱数。
Write down the amount of money you hear.

1. _____ 2. _____ 3. _____ 4. _____ 5. _____

◇听后写出汇率。
Write down the exchange rate you hear.

USD100＝RMB _____   EUR100＝RMB _____   HKD100＝RMB _____
GBP100＝RMB _____   JPY100＝RMB _____   KYW100＝RMB _____

◇听后判断对错，对的写〇，错的写×。
Listen carefully and write down 〇 for correct sentence and × after an incorrect sentence.

1．顾客要牛奶、三明治。（　　）
2．一个三明治四块。（　　）
3．顾客给售货员一共十八块。（　　）
4．售货员找顾客两块。（　　）

补充词语 ▷ （Supplementary Words）

查字典，将下面的图片与其名称连起来。
Look up your dictionary, and match the name with the right picture.

1．货币 Currency

měiyuán　　　ōuyuán　　　rìyuán　　　hánbì　　　tàizhū
美元　　　　欧元　　　　日元　　　　韩币　　　　泰铢

2．食品 Food

qiǎokèlì　　　miànbāo　　　kuàngquánshuǐ　　　fāngbiànmiàn　　　jīdàn
巧克力　　　　面包　　　　矿泉水　　　　方便面　　　　鸡蛋

3．日用品 Daily Necessities

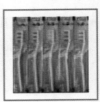

zhǐ jīn	yáshuā	xǐfàshuǐ	yùyè	máo jīn
纸巾	牙刷	洗发水	浴液	毛巾

文化点击 ▷ (Culture Tips)

中国人不喜欢的数字是什么？
Which figure don't the Chinese like?

4和"死"的声音差不多，所以中国人不喜欢。有的医院里甚至没有4层、14层。

In Chinese, "4" is pronounced almost like"死"，which means death, so the Chinese hate it. Especially, some hospitals don't have the 4th and 14th floor.

Dì èr kè

第二课 ▶▶
Lesson 2

☆=表达时间
How to express the time

☆=说明一件事情发生的时间
How to express the time when something happens

Jǐ diǎn shàng bān?

几点 上 班?

When do you start to work?

认一认 ▷ (Recognizing)

看日历、钟表学习时间的表达法。
Look at the calendar and the clock to learn how to express the time.

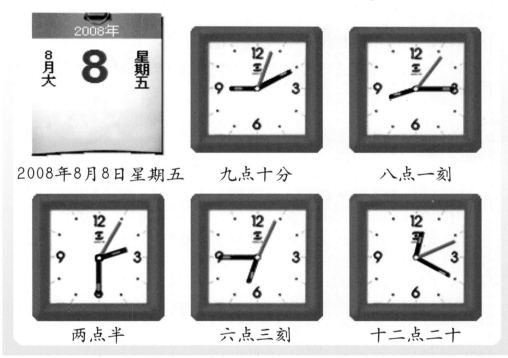

| 2008年8月8日星期五 | 九点十分 | 八点一刻 |
| 两点半 | 六点三刻 | 十二点二十 |

词语学习 [Words Study]

	nián 年 year	yuè 月 month	rì 日 day	hào 号 day	tiān 天 date	xīngqī 星期 week
1.						

2. 早上　　　　　　上午　　　　　中午　　　　下午　　　　晚上
  zǎoshang   shàngwǔ   zhōngwǔ   xiàwǔ   wǎnshang

early morning　　morning　　　　noon　　　afternoon　　evening

3. 点　　分　　刻　　半
  diǎn fēn kè bàn

hour　minute　quarter　half

说　明 [Explanation]

○怎么表示时间
How to Express the Time

在汉语中表示时间要按照从大到小的顺序，即：＿＿年＿＿月＿＿日（号）星期＿＿（早上）＿＿点＿＿分。如：

In Chinese, time is expressed in order from big to small unit, that is:＿＿年＿＿月＿＿日（号）星期＿＿（早上）＿＿点＿＿分, E.g.

2006年6月2日星期五早上七点二十分

○ "日" 和 "号"
"日" and "号"

在口语中，常用"号"；在书面上，常用"日"。

"号" is often used in oral Chinese, while "日" is often used in written Chinese.

○ "星期" 的表达法
Expressions of "星期"

汉语中，用星期一、星期二、星期三、星期四、星期五、星期六、星期日或星期天表达一个星期中的七天。

In Chinese, seven days in a week are expressed with "星期一、星期二、星期三、星期四、星期五、星期六、星期日／星期天"。

练　习 [Exercises]

☆看下面的日历或时钟，说出上面显示的时间。
Look at the calendar or the clock and tell the time indicated.

☆小组活动：Group activity

1.拨动你的手表或闹钟，让其他同学说出时间。

Move your watch or clock, and let your classmates say the time.

2.说出几个对你有特别意义的日期。

Say several dates special to you .

(1) ＿＿＿年＿＿＿月　＿＿＿日

(2) ＿＿＿年＿＿＿月　＿＿＿日

(3) ＿＿＿年＿＿＿月　＿＿＿日

说一说 ▷　（Talking about It）

时间和行为
Time and Action

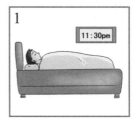   

例：他晚上十一点半　＿＿＿＿＿＿＿＿　＿＿＿＿＿＿＿＿

睡觉。　＿＿＿＿＿＿＿＿　＿＿＿＿＿＿＿＿

_____ _____ _____ _____

词语学习 [Words Study]

shuì jiào	chī fàn	shàng bān	xǐ zǎo
1. 睡 觉	吃 饭	上 班	洗 澡
sleep	have (breakfast/lunch/dinner)	go to work	take a bath

qǐ chuáng	kàn diànshì	xià bān	xuéxí hànyǔ
2. 起 床	看 电 视	下 班	学习 汉语
get up	watch TV	return from work	learn Chinese

zǎofàn	wǔ fàn	wǎnfàn	shū	kè	tā	tā
3. 早 饭	午 饭	晚 饭	书	课	他	她
breakfast	lunch	dinner	book	lesson	he	she

说 明 [Explanation]

○ "他" 和 "她"
"他" and "她"

　　在汉语中，用 "他" 表示男人，"她" 表示女人。

　　In Chinese, "他" refers to man, while "她" indicates woman.

○ 怎么说明一件事发生的时间
How to express the time when something happens

　　在汉语中，要说明一件事情发生的时间用：时间词语＋动词。如：

　　In Chinese, in order to express the time when something happens, we use "time words+ verb". E.g.

　　他十一点半睡觉。

练 习 [Exercise]

☆ 模仿例句，在前面的图下写出相应的句子。

Imitate the sample sentence to write out a sentence on the line under each pictures above.

☆看前面的图，根据自己的实际情况，模仿下面的例句说话。

Look at the pictures, and then imitate the following sample sentence to talk about your personal life.

1．我　晚上十一点　睡觉。

2．我 ＿＿＿＿＿ ＿＿＿＿。

3．我 ＿＿＿＿＿ ＿＿＿＿。

4．我 ＿＿＿＿＿ ＿＿＿＿。

5．我 ＿＿＿＿＿ ＿＿＿＿。

6．我 ＿＿＿＿＿ ＿＿＿＿。

7．我 ＿＿＿＿＿ ＿＿＿＿。

8．我 ＿＿＿＿＿ ＿＿＿＿。

☆小组练习：用上面的句式，向你的朋友介绍你的日常生活和工作。

Group activity: Use the sentence pattern above to introduce your daily life and work to your friends.

练一练 ▷ (Practising)

◎ 对话一 [Dialogue 1]
A：现在几点？
B：现在三点一刻。

◎ 对话二 [Dialogue 2]
A：今天几月几号？
B：今天6月8号。

◎ 对话三 [Dialogue 3]
A：昨天星期几？　　　A：明天星期几？
B：昨天星期三。　　　B：明天星期三。

◎ 对话四 [Dialogue 4]
A：你几点睡觉？
B：我晚上十二点睡觉。

◎ 对话五 [Dialogue 5]
A：你什么时候学习汉语？
B：我每个星期六学习汉语。

词语学习 [Words Study]

1. 几 (jǐ)　　什么 (shénme)
   how many　　what

2. 现在 (xiànzài)　昨天 (zuótiān)　今天 (jīntiān)　明天 (míngtiān)　时候 (shíhou)
   now　　yesterday　　today　　tomorrow　　time

3. 每 (měi)
   each, every

4. 你 (nǐ)
   you

说　明 [Explanation]

○ "几点"和"什么时候"
   "几点" and "什么时候"

　　"几点"和"什么时候"都可用于询问确定的时间点；而"什么时候"还可用于询问较大的时间概念，回答时可用"年、月、号、上午、下午、晚上、星期"这样的时间单位。如：

　　Both "几点" and "什么时候" can be used to inquire the exact time point; while "什么时候" can also be used to ask about the larger concept of time, when answering, the time units like year, month, date, morning, afternoon, evening and week etc. can be used. E.g.

　　1. A：你什么时候上班?
　　　 B₁：我星期二上班。　　　　B₂：我九点上班。

　　2. A：你几点上班?
　　　 B：我九点上班。

○ 怎么用"每"
   How to Use the Word "每"

　　每＋量词＋名词。如：
　　"每" + measure word+noun. E.g.
　　每个顾客　每瓶可乐　每件T恤　每双鞋　每天　每个星期一

○ "你" 和 "您"
"你" and "您"

　　"您" 表示尊敬，多对陌生人、长辈、地位高的人使用；"你" 只是一般称呼，多用于较熟悉的人之间。

　　"您" shows a feeling of respect, mostly used to address strangers, seniors and people of high status; while "你" is only a common address, mostly used among those people who are familiar with each other.

练 习 [Exercises]

☆ 把下面的词语排列成一句话。
Make a sentence with the the following words.

1. 点　　　几　　　你　　　起床

　　_____

2. 他　　　晚上　　　睡觉　　　几　　　点

　　_____

3. 时候　　　你　　　什么　　　上班

　　_____

4. 每　　我　　上午　　星期天　　个　　汉语　　九点　　学习

　　_____

☆ 小组活动：Group activity

　　1. 模仿【练一练】中的对话，用【说一说】中学到的词语，根据真实情况一问一答。
Imitate the dialogue in [Practising], use the words you've learnd in [Talking about It], ask and answer according to the real circumstances.

　　2. 模仿【练一练】中对话四和对话五，用 "您" 和 "你" 分别询问你的老师、父母、同学或朋友，并把你的问题和他们的回答写下来。
Imitate the Dialogue 4 and 5 in [Practising], use "您" and "你" respectively to ask your teachers, parents, classmates or friends with questions, and then write down your questions and their answers.

问：_____？　　答：_____。
问：_____？　　答：_____。
问：_____？　　答：_____。
问：_____？　　答：_____。
问：_____？　　答：_____。

☆看下面的月历，说出上面的时间安排和事宜。

Look at the calendar below and then talk about the time and event listed in it.

					JANUARY	
			1	2 9:00 kāi huì 开会	3	4	5
6	7	8	9	10	11 12:00 hé zhāng 和 张 jīng lǐ chī fàn 经理 吃 饭	12
13	14	15	16	17	18	19 14:15 qù jī chǎng 去机场
20	21	22 19:30 xué xí hànyǔ 学习 汉语	23	24	25	26
27	28	29	30	31		

听一听 ▷ (Listening)

◇听后填空。

Fill in the blanks after listening.

1. _____天5月8号。

2. 昨天星期_____。

3. 我_____下午_____点学习。

4. 他每天早上七点半_____。

◇听"我的一天"，一边听一边填出所听到的时间。

Listen to "One Day in My Life". While listening, please fill the words indicating time.

今天是星期_____，早上我_____起床，_____吃早饭，_____出门，_____上班。中午_____吃午饭，_____上班，下午_____下班。

补充词语 ▷ （Supplementary Words）

查字典，根据下面的图片填空。
Look up your dictionary and fill in the blanks with the missing words.

1.

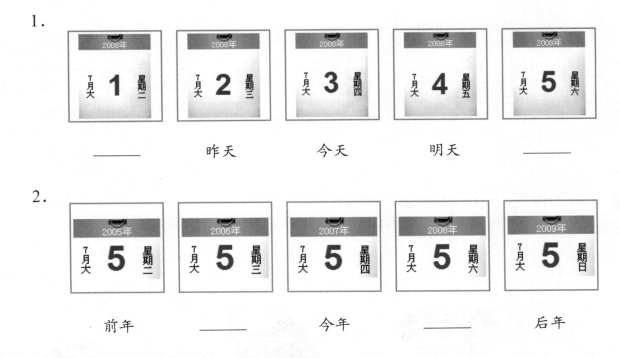

　　　　　　　　　昨天　　　　　今天　　　　　明天　　　　　_____

2.

　　前年　　　　　_____　　　　今年　　　　　_____　　　　后年

文化点击 ▷ （Culture Tips）

中国人的工作时间
Working Time in China

　　中国政府部门一般早上8点上班，中午12点下班，下午1点上班，5点下班。中国的公司一般早上9点上班，下午6点下班。

　　Generally, the office hour for Chinese Government is from 8 a.m. to 12 a.m. in the morning and from 1 p.m. to 5 p.m. in the afternoon; while the corporations in China usually begin at 9 a.m. and close at 6 p.m. in the afternoon.

Dì sān kè
第三课 ▶▶
Lesson 3

☆=掌握电话、传真、电子邮件的中文表达法
Master the expression of phone number, fax and email.

☆=简单向人介绍自己的联系方式
Introduce to others how to contact you.

Zhè shì wǒ de míngpiàn
这是我的名片
This is my business card.

读一读 ▷ (Reading Aloud)

电话号码和电子邮件
Phone Number and Email

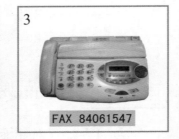

1   62751916

2   58208275

3   FAX 84061547

例：电话号码是62751916

4   13867474516

5   cat@hotmail.com

6   13352648917

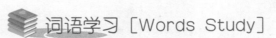 词语学习 [Words Study]

	diànhuà	zuòjī	shǒujī	chuánzhēn	diànnǎo
1.	电话	座机	手机	传真	电脑
	telephone	fixed phone	mobile phone	fax	computer

2. 电子 邮件　　　　号码
   diànzǐ yóujiàn　　　hàomǎ
   email　　　　　　number

3. 是
   shì
   yes

说　明 [Explanation]

○ "1" 的读法
The Pronunciation of "1" in Chinese
在数字中，"1"读作yī；在号码中，"1"读作yāo。这是为了避免和"7" qī混淆。

In numerals, "1" can be read as yī; in numbers, "1" can be read yāo to avoid misreading as "7".

○ 怎么用 "是"
How to Use the Word "是"
"是"在汉语句子中的一个主要用法是：是＋名词。如：

In Chinese sentences, one of the usage of "是" is "是+noun", E.g.

1. 这是电脑。
2. 今天是星期二。

练　习 [Exercises]

☆ 请读出下面的电话号码。
Read out the following phone numbers.

1. 45689453	2. 72105866	3. 82756326
4. 13405289437	5. 13608924570	6. 13701153019

☆ 模仿上页图片下的例句，用 "是" 在图下画线的部分写出合适的句子。
Imitate the sample sentence in the pictures at the previous page, write a suitable sentence in the underlined parts with the word "是".

☆ 小组活动：一个人写出电话号码或电子邮件，让同伴读出来。
Group activity: One people writes down his or her telephone number or email address, another reads it out.

1. _____

2. _____

3. _____

说一说 ▷ (Talking about It)

通讯簿
Address Book

张经理: 13829340567

王副经理: 13701329876

刘秘书:
(FAX) 83510202

大明公司: 88021919

赵律师: 13320963785
zhao@yahoo.com

词语学习 [Words Study]

	Zhāng	Wáng	Liú	Zhào
1.	张	王	刘	赵
	Zhang	Wang	Liu	Zhao

	jīnglǐ	fù	mìshu	lùshī
2.	经理	副	秘书	律师
	manager	vice	secretary	lawyer

Dàmíng   Gōngsī
3. 大明 公司
Daming Company

de
4. 的
of

 说 明 [Explanation]

○怎么用"的"（一）
How to Use the Word "的"(I)

"的"表示从属关系时，用"表示人称的名词或代词＋的＋表示事物的名词"结构。如：

When "的" indicates a subordinate relationship in the sentence, it follows the structure of "personal noun or pronoun+的+noun". E.g.

1. 我的帽子
2. 大明公司的传真号码
3. 赵律师的手机号码

○人们处于工作关系的称呼方法
How to Address Each Other in a Working Context

在工作中，一般用"姓＋职务／职业"的方法来称呼别人。如：

Generally speaking, we use "surname+title/occupation" to address other people in a working context. E.g.

赵律师　张经理

 练 习 [Exercises]

☆把下面的词语排列成一句话。
Make a sentence with the the following words.

1. 是　　公司　　传真　　这　　的　　号码

　　_____

2. 这　　经理　　刘　　的　　号码　　副　　手机　　是

　　_____

3. 她　　秘书　　是　　的　　经理

　　_____

☆模仿下面的例句，写出你自己通讯簿中的信息。
Imitate the sample sentence given to write out the information in your own address book.

1. 张经理的手机号码是13829340567。
2. _____的_____是_____。
3. _____的_____是_____。
4. _____的_____是_____。
5. _____的_____是_____。
6. _____的_____是_____。

练一练 ▷ (Practising)

◎ 对话一 [Dialogue 1]

A：您是张先生吗？

B：我是。您是……？

A：我是大明公司的赵经理。

B：赵经理，您好，这是我的名片。

A：谢谢！

◎ 对话二 [Dialogue 2]

张律师：刘秘书，我找王经理。

刘秘书：他不在，您可以给他打手机。

张律师：王经理的手机号码是多少？

刘秘书：他的手机号码是13901327688。

张律师：谢谢！

刘秘书：不客气！

◎ 短文 [Short Passage]

王经理的手机号码是13901327688，他的E-mail是li@hotmail.com。你可以给他打电话，也可以给他发E-mail。

词语学习 [Words Study]

1. 名片 míngpiàn
   name card

2. 好 hǎo　在 zài　打 dǎ　发 fā　可以 kěyǐ
   good　be doing　take(a telephone call)　send　can

3. 谢谢 xièxie　不客气 bú kèqi
   Thank you　You're welcome

4. 吗 ma　不 bù
   a particle used at the end of questions　no

 说　　明 [Explanation]

○怎么用"吗"

How to Use the Word "吗"

　　"吗"用在陈述句的句尾，变成一般疑问句，即："陈述句＋吗？"肯定回答时，用陈述句中的动词就可以了。如：

When "吗" is used at the end of a declarative sentence, the sentence is changed into an interrogative one, i.e." Declarative sentence+吗？" When answer it affirmatively, use the verb of a declarative sentence.

陈述句	一般疑问句	肯定回答	否定回答
这是我的帽子。	这是你的帽子吗？	是。	不是。
我买可乐。	你买可乐吗？	买。	不买。

○怎么用"可以"

How to Use the Word "可以"

　　"可以"表示允许：可以＋动词。征求别人的意见时：可以＋动词＋吗？如：

The words "可以" can express permission by adding a verb directly after it.When inquiring other's opinion, we use "可以+verb+吗？" as below:

　　1．现在你可以出去。

　　2．我可以买一瓶可乐吗？

○怎么用"给"（二）

How to Use the Word "给"（Ⅱ）

　　"给"除了有"给＋人＋名词"的用法外，还有本课中的用法：给＋人＋动词。如：

Besides the usage of "给+sb.+noun", the word "给" still have another usage of "给+sb.+verb" in this lesson. E.g.

　　1．我给张经理打电话。

　　2．他给我发E-mail。

○怎么用"不"

How to Use the Word "不"

　　"不＋动词/形容词"表示否定。如：

"不＋verb/adjective" indicates the negation. E.g.

　　不吃饭　不睡觉　不客气

　 练　　习 [Exercises]

☆用"吗"把下面的句子变成疑问句，并分别用肯定形式和否定形式回答。

Use "吗" to change the sentences given into interrogative sentences, then answer them affirmatively then negatively.

例：这是我的电话号码。
疑问句：这是你的电话号码吗?
肯定形式：是。
否定形式：不是。

1. 他是张经理。
2. 您可以给我打电话。
3. 我要可乐。
4. 你学习汉语。
5. 这顶帽子二十块。

☆把下面的词语排列成一句话。
Make a sentence with the the following words.

1. 可以　　星期三　　汉语　　吗　　学习
_____

2. 发　他　我　给　　电子邮件
_____

3. 你　经理　电话　张　打　给　一个
_____

4. 的　是　我　这　名片　不
_____

☆小组活动：Group activity
1. 按照下面的格式，设计一张自己的名片。
Design a name card for yourself with the form given below.

> ××公司
>
> 姓　名　职务
>
> 座机号码：_____　　手机号码：_____
> 传真号码：_____　　E-mail：_____

2. 模仿下面的句子，根据名片上的信息，两个人一问一答。
Taking the following sentences as example, ask and answer with the information given in the name cards.

(1) 问：你的手机号码_____？
　　答：_____。

(2) 问：你是_____吗？
　　答：_____。

(3) 问：你的公司的传真号码是_____吗？
　　答：_____。

(4) 问：我可以给你_____吗？
　　答：_____。

3．两个人互相交换名片。
　　Two people exchange their name cards.

听一听 ▷ （Listening）

◇记录你听到的电话号码。
Listen and write down the phone numbers you hear.

1. _____　2. _____　3. _____　4. _____

◇听一段话，填空。
Listen to the passage and then fill in the blanks below.

张华是大明公司的_____，他的电话号码是_____，他的E-mail是_____，你可以给他_____，或者给他_____。

补充词语 ▷ （Supplementary Words）

查字典，根据意思对下面的词语进行分类。
Look up your dictionary, and sort out the following words according to their meanings.

新浪	小姐	家	处长
主任	百度	科长	饭店
先生	办公室	雅虎	总经理
女士	搜狐	部长	宿舍

你的分类：

_____

_____

_____

_____

文化点击 ▷ （Culture Tips）

下面几个电话号码是中国人认为吉利的号码，你知道为什么吗？
The following phone numbers are considered to be lucky in China. Do you know why?

13305268888   13923690518   62306666

☆=掌握家庭成员的基本称谓
Familiar with the basic family relationship titles

☆=简单介绍家庭成员的基本情况
Briefly introduce the basic information of your family members

Wǒ   fùqin   shì yínháng zhíyuán
我父亲是银行职员
My father works in a bank.

认一认 ▷   (Recognizing)

家庭关系图
Family Relationship Chart

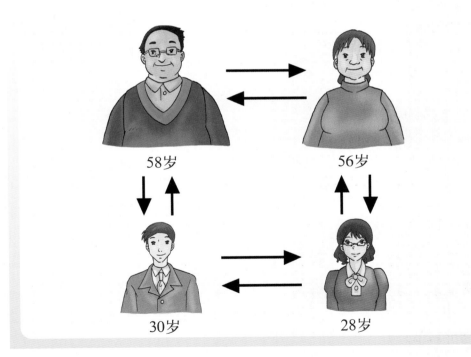

58岁　　　　　56岁

30岁　　　　　28岁

📚 词语学习 [Words Study]

fù qin	mǔ qin	érzi	nǚ' ér
1. 父亲	母亲	儿子	女儿
father	mother	son	daughter

2. 丈夫　　　妻子
　　zhàngfu　　qīzi
　　husband　　wife

3. 哥哥　　　　　姐姐　　　　　弟弟　　　　　妹妹
　　gē ge　　　　jiě jie　　　　dìdi　　　　　mèimei
　　elder brother　　elder sister　　younger brother　　younger sister

4. 家　　　岁
　　jiā　　　suì
　　family　　year old

5. 有　　　　　没有
　　yǒu　　　　méiyǒu
　　there is/are　　there isn't/aren't

说　　明 [Explanations]

○ "我的姐姐" 还是 "我姐姐"
　　"我的姐姐" or "我姐姐"

　　当"你、我、他、她"后边是表示亲属的称谓时，可以不用"的"。即：人称代词＋表示亲属的称谓。如：

　　When "你、我、他、她" follows the terms of address for relatives, the word "的" can be omitted. E.g.

　　我父亲　他姐姐

○ 表示年龄的方法
　　The Way to Say the Age

　　汉语中表示一个人的年龄时，不需要用"是"。即：人＋年龄。如：

　　To say the age in Chinese, it will do without the word "是", i.e. person. + age. E.g.

　　我二十岁。

○ "有" 字句
　　Sentence Pattern with the Word "有"

　　用"有"的肯定句式是：有＋名词。其否定形式是：没有＋名词。其一般疑问的形式是：有＋名词＋吗？如：

　　Sentence pattern with "有" has its affirmative form : 有＋noun. Its negative form is: 没有＋noun. Its interrogative form is: 有＋noun.＋吗？E.g.

　　1. 我有一个哥哥。
　　2. 我没有哥哥。
　　3. 你有哥哥吗？

练　习 [Exercises]

☆在前面的"家庭关系图"中有箭头指示的地方写出亲属称谓。
Put down the term of address for relatives in the place indicated by an arrow in the Family Relationship Chart at the previous page.

☆模仿下面的例句，根据前面的"家庭关系图"提出问题，并分别作出肯定回答和否定回答。
Imitate the example below and provide both positive and negative answers based on the questions raised from the Family Relationship Chart at the previous page.

例：你有哥哥吗？　　　肯定回答：有。　　　否定回答：没有。

问：你有＿＿＿＿＿吗？

肯定回答：＿＿＿＿。

否定回答。＿＿＿＿。

说一说 ▷ (Talking about It)

照片上的一家
A Family on the Photo

　　我家有五口人，父亲、母亲、两个姐姐和我。父亲今年58岁，是银行职员。母亲53岁，没有工作。大姐35岁，是医生。二姐30岁，是律师。我今年27岁，在公司工作。

词语学习 [Words Study]

rén
1. 人
people

kǒu
口
measure word

2.
yínháng	gōngzuò
银行	工作
bank	work

3.
yīshēng	zhíyuán
医生	职员
doctor	staff

4.
hé	dà
和	大
and	eldest

说　明 [Explanations]

○怎么用量词"口"
How to Use the Measure Word "口"
　　"口"一般用于介绍家庭人口数。如：

Generally, "口" is used to introduce the numbers of family members. E.g.

我家有三口人。

○怎么用介词"在"
How to Use the Preposition "在"
　　介词"在"后边出现表示处所的名词，然后再加上动词，表示某事发生的处所。即：在＋处所名词＋动词。如：

Followed by a noun of place, and then a verb, the preposition "在" can express the place where something happens. i.e. 在＋noun of place＋verb E.g.

　　1．我在银行上班。

　　2．他在公司工作。

○怎么用连词"和"
How to Use the Conjunction "和"
　　连词"和"在汉语中一般连接名词，而不是动词或形容词。如：

In Chinese, the conjuction "和" connects two nouns, but not verbs nor adjectives. E.g.

　　我和他　父亲、母亲和弟弟

○"大哥"和"二哥"
Big Brother and Second Brother
　　汉语中用"大"、"二"、"三"……表示家庭中两个以上兄弟姐妹的排序。如：

In Chinese, such words as "大"，"二"，"三" are used to show the order of brothers and sisters in terms of age. E.g.

大哥　大姐　二哥　二姐　大弟　二弟

练　习 [Exercises]

☆把下面的词语排列成一句话。

Make a sentence with the the following words.

1. 人　四　家　有　我　口

   _____

2. 公司　他　上班　在

   _____

3. 没有　姐　工作　大

   _____

4. 买　可乐　和　我　一个　一瓶　三明治

   _____

☆小组活动：拿一张全家人的照片，给同伴介绍一下你的家人。

Group activity: Take a family photo and introduce your family to your classmates.

练一练 ▷ (Practising)

◎ 对话一 [Dialogue 1]

A：你家有几口人？

B：四口人，妻子、儿子、女儿和我。

A：这是全家福吧？真是幸福的一家人！

◎ 对话二 [Dialogue 2]

A：这个人是谁？

B：他是我弟弟。

A：他今年多大？

B：27岁。

A：真年轻！在哪儿工作？

B：在公司工作。

A：做什么工作？

B：会计。你呢？

A：我也在公司工作，是秘书。

词语学习 [Words Study]

1.
<table>
<tr><td>shéi
谁
who</td><td>duō dà
多大
how old</td><td>nǎr
哪儿
where</td><td>ne
呢
used in asking questions for purposes of emphasis</td></tr>
</table>

2.
zhēn 真 really	yě 也 aslo

3.
quánjiāfú 全家福 a photo of the whole family	kuàijì 会计 accountant

4.
xìngfú 幸福 happy	niánqīng 年轻 young

5.
zuò
做
do

说　明 [Explanations]

○怎么用"呢"　（一）

How to Use "呢" the Word（Ⅰ）

"呢"用于疑问句：A……，B呢？如：

The character "呢" is used in the interrogative sentence, its pattern is: A……，B呢？E.g.

1.我买可乐，你呢？=我买可乐，你买什么？

2.他在银行工作，他弟弟呢？=他在银行工作，他弟弟在哪儿工作？

3.今天学习汉语，明天呢？=今天学习汉语，明天干（to do）什么？

○怎么用"也"

How to Use the Word "也"

副词"也"常在说明A的某一情况后，表示B的情况和A相同。即：A……，B也……。如：

After explain what the situation with A is ，"也" as an adverb is often used to describe the situation that B is the same with A. E.g.

1．我是银行职员，他也是银行职员。

2．这顶帽子二十块，这件T恤也二十块。

3．今天学习汉语，明天也学习汉语。

○怎么用"的"（二）

How to Use "的" the Word（Ⅱ）

　　　"的"表示修饰关系：形容词＋的＋名词。如：

　　　"的" indicates a relation of modification: adj.+的+n.. E.g.

　　　年轻的弟弟　幸福的一家人

练　习［Exercises］

☆用"什么、谁、哪儿、多大、呢"对下面句子中画线的部分提问。

Use "什么、谁、哪儿、多大、呢" to raise questions according to the underlined parts in the sentence.

　　　1．他给我一瓶可乐。

　　　2．他姐姐29岁。

　　　3．她是老师。

　　　4．我在公司上班。

　　　5．张华是经理。

　　　6．我的这顶帽子三十块，他的帽子四十块。

☆模仿例句，完成下面的句子。

Imitate the sample sentences to complete the following sentences.

　　　例句：他是老师，我也是老师。

　　　1．我星期二上班，＿＿＿也＿＿＿＿＿＿＿＿＿。

　　　2．张华是律师，＿＿＿也＿＿＿＿＿＿＿＿＿。

　　　3．＿＿＿买＿＿＿＿，＿＿＿也＿＿＿＿。

　　　4．＿＿有＿＿＿＿，＿＿＿也＿＿＿＿。

☆小组活动：拿着自己的全家福，对家庭成员的年龄、工作、人口数等，一个人询问，一个人回答。注意，提问时要用到"什么、谁、哪儿、多大、呢"。

Group activities: Take your family photos in your hand. One asks about the age, job and the number of the family members, another answers. Notice: use "什么、谁、哪儿、多大、呢" to raise questions.

听一听 ▷ （Listening）

◇听下面的几句话，然后填空。
Listen carefully and fill in the blanks in the following sentences.

1. 我家有＿＿＿＿口人，＿＿＿＿、儿子和我。
2. 父亲在＿＿＿＿上班，母亲是＿＿＿＿职员。
3. 大哥今年＿＿＿＿，二哥40岁，我＿＿＿＿。

◇听后判断对错，对的写○，错的写×。
Listen carefully and write down ○ for correct sentence and × after an incorrect sentence.

1. 女人有两个弟弟，男人也有两个弟弟。 （　　　）
2. 女人的大弟17岁。 （　　　）
3. 男人的二弟15岁。 （　　　）

补充词语 ▷ （Supplementary Words）

查字典，把下面的亲属称谓和相应的解释连接起来。
Look up your dictionary and match the terms of address for relatives with their corresponding explanations.

yé ye
爷爷　　　　　　爸爸的哥哥

jiùjiu
舅舅　　　　　　妈妈的姐姐或妹妹

lǎo ye
姥爷　　　　　　妈妈的妈妈

gūgu
姑姑　　　　　　哥哥的妻子

shūshu
叔叔　　　　　　爸爸的爸爸

yí
姨　　　　　　　妈妈的哥哥或弟弟

nǎinai
奶奶　　　　　　妈妈的爸爸

lǎolao
姥姥　　　　　　爸爸的妈妈

bó bo
伯伯　　　　　　爸爸的姐姐或妹妹

sǎozi
嫂子　　　　　　爸爸的弟弟

文化点击 ▷ （Culture Tips）

中国的十二属相
Chinese Twelve Animals Symbolizing the Year in Which a Person is Born.

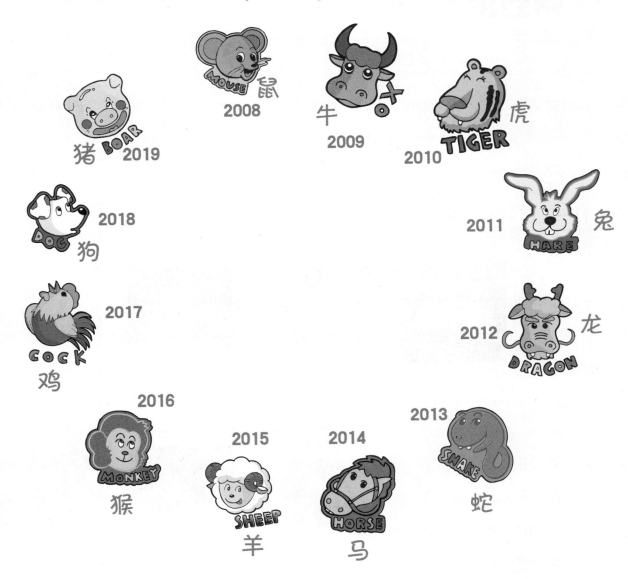

Dì wǔ kè
第五课 ▶▶
Lesson 5

☆=认识常见的中国菜
Know some common Chinese dishes.

☆=学会在饭馆点菜、结账的表达方法
Learn to order dishes and pay bills in the restaurant.

Lái yí ge mápó dòufu！
来一个麻婆豆腐！
Mapo Tofu, please.

认一认 ▷　(Recognizing)

1	2	3	4

例：五瓶啤酒 _____

5	6	7	8

_____

9	10	11
 250g		

_____

—44—

词语学习 [Words Study]

1.
bēi	hú	pán	wǎn	zhī	jīn
杯	壶	盘	碗	只	斤
glass	pot	plate	bowl	*measure word*	half a kilogramme

2.
yǐnliào	píjiǔ	guǒzhī	chá	xuěbì
饮料	啤酒	果汁	茶	雪碧
drink	beer	juice	tea	Sprite

3.
cài	gōngbǎojīdīng	xīhóngshì chǎo jīdàn
菜	宫保鸡丁	西红柿 炒 鸡蛋
dish	Kung Pao Chicken	Scrambled eggs with tomatoes

kǎo yā	má pó dòufu
烤鸭	麻婆 豆腐
roast duck	Mapo Tofu

4.
zhǔshí	jiǎozi	mǐ fàn	miàntiáo
主食	饺子	米饭	面条
principal food	dumplings	rice	noodle

说 明 [Explanations]

○1斤＝？

One *jin* = ?

1斤＝500g。

○怎么用"半"

how to Use the Word "半"

半＋量词＋名词。如：

半+measure word+noun. E.g.

半斤饺子 半只烤鸭 半瓶啤酒

数词＋量词＋半＋名词。如：

number+measure word+半+noun. E.g.

一斤半饺子 两只半烤鸭 三瓶半啤酒

练 习 [Exercises]

☆模仿例子说出前面图中的食物。

Tell the food in the above pictures.

☆用"半"说出下图中的饮料和食物。

Use the word "半" to tell the drinks and food in the pictures below.

☆小组活动：去中餐馆看看你喜欢的饮料、菜和主食，记下它们的名字，然后告诉你的同伴。

Group activities: Go to the Chinese restaurant to find the drinks, dishes and staples you like, and write down their names, then tell your partner.

饮料：＿＿＿＿＿、＿＿＿＿＿、＿＿＿＿＿
菜：＿＿＿＿＿、＿＿＿＿＿、＿＿＿＿＿
主食：＿＿＿＿＿、＿＿＿＿＿、＿＿＿＿＿

练一练 ▷ (Practising)

◎ 对话一 [Dialogue 1]

服务员：先生，您几位？

客人A：两位。

服务员：里边请。请坐这儿吧！给您菜单。

客人B：谢谢！

◎ 对话二 [Dialogue 2]

客人A：你饿吗？想吃什么？

客人B：我不知道菜的名字，有点儿辣，有豆腐……

客人A：是麻婆豆腐吗？

客人B：是麻婆豆腐。你吃什么？

客人A：我喜欢吃酸甜的菜，最喜欢的菜是西红柿炒鸡蛋。

客人B：我们点菜吧！

词语学习 [Words Study]

1.
fànguǎn	fúwùyuán	kè rén	càidān
饭馆	服务员	客人	菜单
restaurant	waiter	customer	menu

2.
wèi
位
measure word for people

3.
lǐbian	zhèr
里边	这儿
inside	here

4.
qǐng	zuò	xiǎng	xǐhuan	diǎn cài	zhīdào
请	坐	想	喜欢	点 菜	知道
please	sit	think	like	order dishes	know

5.
yǒudiǎnr	zuì
有点儿	最
to some extent	best of all

6.
è	là	suān	tián
饿	辣	酸	甜
hungry	spicy	sour	sweet

说 明 [Explanations]

○ 怎么用"位"

How to Use the Word "位"

"位"用于人，带有敬意：数词＋位＋职业/职务。如：

"位" is a measure word used to indicate the amount of people with a sense of respect: number ＋位＋ title/occupation. E.g.

两位医生　几位经理　五位客人

○ "（请）……吧"

How to Use "（请）……吧"

"动词＋吧"用于客气地提出请求，动词前用"请"显得更为客气。如：

"Verb ＋吧" is used to suggest a polite proposal, and the word "请" used before the verb shows more politeness. E.g.

坐吧！　　吃吧！　　请坐吧！　　请吃吧！

○怎么用"有点儿"

How to Use the Phrase"有点儿"

"有点儿＋形容词"表示程度不高，多用于不喜欢的事情。如：

"有点儿＋adjective" indicates not much and is usually used on something one dislikes.

E.g.

有点儿辣（说话人不喜欢辣）

有点儿甜（说话人不喜欢甜）

○怎么用"最"

How to Use the Word"最"

"最＋形容词"表示程度超过所有的同类事物。如：

"最＋adjective" indicates the superlative degree. E.g.

1. 他最年轻。
2. 这个菜最辣。

练 习 [Exercises]

☆选择填空。

Choose the most appropriate word to fill in the blanks.

个　　　口　　　位

1. 饭馆里边有十二（　　）人。
2. 这（　　）先生是大明公司的副经理。
3. 我家有五（　　）人，父亲、母亲、两个哥哥和我。

☆把下面的词语排列成一句话。

Make a sentence with the the following words.

1. 吃　斤　想　我　半　饺子

_____

2. 喜欢　姐姐　最　菜　的　是　宫保鸡丁

_____

3. 个　菜　很　辣　这

_____

4. 这儿　吧　请　坐

_____

☆查字典， 说出几种辣的食物、甜的食物和酸的食物。

Look up the dictionary and name several foods tasting spicy, sweet and sour respectively.

辣：————、————、————

甜：————、————、————

酸：————、————、————

☆小组练习：三个人一组，分别是饭馆服务员、客人A和客人B，模仿前面的两段对话进行练习。

Group activity: Divide the entire class into small groups of three acting the role of restaurant waiter/waitress, customer A and B respectively, and practise by following the previous examples.

对话一：两位客人进入饭馆。

对话二：两位客人商量吃什么。

练一练 ▷ (Practising)

◎ 对话一 [Dialogue 1]

客人 A：服务员，点菜!

服务员：好的。

客人 B：来一个麻婆豆腐，一个西红柿炒鸡蛋，两碗米饭。

客人 A：我们很饿，请快一点儿!

服务员：好的。请稍等。

◎ 对话二 [Dialogue 2]

客人 A：吃饱了。结账吧!

客人 B：服务员，买单!

服务员：一共二十五块。

客人 A：给你钱，开一张发票。

服务员：好的，请稍等。

词语学习 [Words Study]

lái	děng	jié zhàng	mǎi dān	kāi
1. 来	等	结 账	买 单	开
come	wait	check-out	pay the bill	write

2. 饿　　　　　　快　　　　饱
　　è　　　　　　kuài　　　bǎo
hungary　　　　hurry　　　full

3. 张　　　　　发票
　　zhāng　　　fāpiào
piece　　　　invoice

4. 一点儿　　　　　稍　　　　　　很
　　yìdiǎnr　　　　shāo　　　　　hěn
a bit of　　　　for a while　　　very

5. 们
　　men
a word follows pronoun or noun to indicate plural form

说　明 [Explanations]

○怎么用"们"

How to Use the Word"们"

　　"们"用在人称代词或指人的名词后，表示复数。注意：名词前有数量词时，后边不加"们"。如：

　　"们" is used after pronoun or noun referring to someone to indicate plural form. Please notice that no "们" is used when there's a qualifier before a noun.E.g.

　　我们　你们　经理们
　　三个经理们（✗）　　　　三个经理（○）
　　两位医生　几位经理　五位客人

○怎么用"好的"

How to Use the Phrase"好的"

　　"好的"表示接受对方提出的请求。如：

The phrase "好的" is used to show accepting the proposal of others. E.g.
　　A：我们学习汉语吧！
　　B：好的。

○怎么用"一点儿"

How to Use the Phrase"一点儿"

　　"形容词＋一点儿"常用于提出请求。如：

"adjective＋一点儿" is usually used to propose a request. E.g.
　　1. 请快一点儿！（说话人希望快）
　　2. 辣一点儿！（说话人希望辣）

○怎么用"吃饱"
How to Use the Phrase"吃饱"

"吃"是动词，表示动作；"饱"是形容词，表示"吃"以后的结果。

"吃"is a verb of action, and"饱"is an adjective used to show the result of eating.

○怎么用"了"
How to Use the Word"了"

"形容词＋了"可以表示变化。如：

The phrase"adjective＋了"is used to show changes. E.g.

饱了（不饱→饱）　　饿了（不饿→饿）

练　习［Exercises］

☆在需要的地方填出"有点儿"、"一点儿"
Please fill in the blanks with either"有点儿"or"一点儿".

1．我（　　）饿。

2．这个菜（　　）酸，我想吃甜（　　）的菜。

3．请快（　　）吧!

☆"们"的练习
Exercises about"们"

1．用"们"把下面的词语变成复数。

Use the word"们"to turn the following words into plural form.

他　　她　　律师　　哥哥　　人　　妹妹　　秘书

2．选择填空。

Choose the most appropriate word to fill in the blanks.

（1）我有三个（　　）。　　　　（妹妹　　妹妹们）

（2）经理有两个（　　）。　　　（秘书　　秘书们）

☆小组练习：Group activity

1．两个人一组，按照下面的格式完成对话。

Divide the class into groups of two，then finish the following dialogue.

A：请＿＿＿＿＿＿吧!

B：好的。

2．三个人一组，分别扮演饭馆服务员、客人A和客人B，模仿前面的两段对话进行练习。

Divide the class into groups of three to act the roles of restaurant waiter/waitress, customer A and B and practise by following the previous examples.

对话一：点菜

对话二：结账

听一听 ▷ (Listening)

◇听后填空。

Fill in the blanks after listening.

1．我不喜欢吃_____的菜。

2．来两瓶_____！

3．他们要三_____米饭。

4．请快_____！

5．您几_____？

6．请_____！

7．开一_____发票吧。

补充词语 ▷ (Supplementary Words)

查字典，将下面的词语和图片连线。

Look up your dictionary, and connect the words and pictures with a line.

鱼肉　　　　　鸡肉　　　　　猪肉　　　　　牛肉

豆角　　　　　茄子　　　　　土豆　　　　　西兰花

白菜	葱头	萝卜	黄瓜
涮羊肉	烤鸭	宫廷菜	素菜

文化点击 ▷　（Culture Tips）

中国菜的品种很多，菜的名字也千变万化，很难记住。那有什么办法可以让您顺利地在饭馆里点菜呢？

方法一：看别人吃什么，您就点什么；方法二：告诉服务员你想吃什么蔬菜、什么肉、什么味道，还有菜的价钱，让服务员帮你决定，比如你可以说"我想吃猪肉、酸甜的、20块左右"，服务员可能会推荐您吃"古老肉"。

Chinese cuisines are extremely diverse with a large amount of names, which are difficult to remember. Then how can you make your order at a restaurant decently? Secret one: order what others ordered; Secret two: tell the waiter or the waitress what kind of vegetable, meat, and flavor you want to have, together with the price you prefer, ask he/she to make the decision for you. For example, you say: "I'd like pork, sour sweet, about 20 yuan." It's probable that the waiter/waitress will recommend "gu-lao pork" to you.

Dì liù kè
第六课 ▶▶
Lesson 6

☆=常用的交通工具
Commonly used traffic transportation

☆=简单比较几种交通工具
Simply compare several traffic transportations

Wǒ dǎ dī qù gōngsī
我打的去公司
I took a taxi to go to work

认一认 ▷　　(Recognizing)

词语学习 [Words Study]

gōnggòng qìchē	chūzūchē	dìtiě	sījiāchē
1. 公 共 汽 车	出 租 车	地 铁	私 家 车
bus	taxi	metro	private car

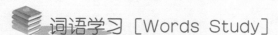

2.
mótuōchē	zìxíngchē	liàng
摩托车	自行车	辆
motor	bike	*measure word*

3.
huǒchē	fēijī
火车	飞机
train	plane

4.
màn	guì	piányi	fāngbiàn	máfan
慢	贵	便宜	方便	麻烦
slow	expensive	cheap	convenient	trouble

说　明 [Explanations]

○ 飞机很快

The Plane Is Very Fast

一般情况下，形容词前边常常会出现表示程度的词语。如：

Generally, there is a word indicating the degree before an adjective. E.g.

1. *他年轻。　　　　他真年轻。
2. *我幸福。　　　　我很幸福。
3. *这个菜辣。　　　这个菜有点儿辣。

练　习 [Exercises]

☆ 模仿例句，选择程度副词和形容词填空。

Imitate the example below and choose the appropriate adverbs and adjectives indicating the degree to fill in the blanks.

例句：飞机＿＿＿＿＿＿。　　飞机很快。

1. 自行车＿＿＿＿＿＿。
2. 爸爸＿＿＿＿＿＿＿。
3. 地铁＿＿＿＿＿＿＿。
4. 出租车＿＿＿＿＿＿。

☆ 小组活动：用"词语学习"中的名词和形容词给你的同伴介绍一下你居住的地方有哪些交通工具。

Group activities: Use the nouns and adjectives listed in Words Study to introduce to your partner the traffic transportations where you live.

说一说 ▷ (Talking about It)

  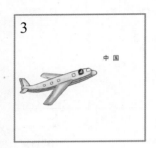

例:他骑自行车去商店。

词语学习 [Words Study]

qí 骑	kāi 开	zǒu lù 走路	qù 去	huí 回
ride	drive	walk	go	return

shāngdiàn 商店	jīchǎng 机场	Zhōngguó 中国	Shànghǎi 上海
store	airport	China	Shanghai

3.
bǐ
比
than

duō 多	shǎo 少
many	few

说　明 [Explanations]

○开车去上班

Go to Work by Car

　　在汉语中,两个动词性的短语可以连用,前者可以表示方式,后者可以表示目的。如：

In Chinese, two verb phrases can be used together, the first one indicates the ways and the second one indicates the purpose.E.g.

开私家车去公司

坐飞机来中国

骑自行车回家

○ "比"字句（一）
Sentence with the Word "比"（Ⅰ）

"比"字句的基本格式是：A比B＋形容词。如：

The basic sentence pattern with the word "比" is A比B＋adjective. E.g.

1. 他比我年轻。

2. 坐飞机比坐火车快。

 练　习 [Exercises]

☆模仿例句说出前面六幅图的内容。
Talk about the content of previous six pictures by following the examples.

1. 他骑自行车去商店。

2.

3.

4.

5.

6.

☆说出下面形容词的反义词。
Name the antonyms of the following adjectives below.

快——　　　　便宜——　　　　年轻——　　　　饱——

少——　　　　麻烦——　　　　早　——

☆看图，用"比"字句和上面练习中的反义词各说出两个句子。
Study the pictures carefully, then make two sentences with the word "比" and the antonyms listed above for each group of pictures.

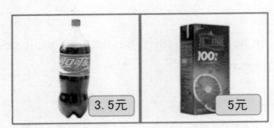

_____

_____

_____

_____

_____

_____

练一练 ▷ (Practising)

◎ 对话 [Dialogue]

A：你每天怎么上班？

B：我打的上班。你呢？

A：坐出租车太贵了，我骑自行车去公司。

B：不累吗？

A：不累，还可以锻炼身体。

◎ 短文 [Short passage]

真倒霉，我今天早上又迟到了！公司离我家很远，开车上班很方便，可是经常堵车；打车太贵了；坐公共汽车和地铁的人太多了，很麻烦；骑自行车太累了。我应该怎么办？

词语学习 [Words Study]

	zěnme 怎么 how	zěnmebàn 怎么办 then what		
1.				

	dǎ dī 打 的 take a taxi	duànliàn 锻炼 take exercises	chídào 迟到 be late for	dǔ chē 堵 车 traffic jam	yīnggāi 应该 should
2.					

	lèi 累 tire	dǎoméi 倒霉 unlucky	yuǎn 远 far
3.			

	tài 太 too	yòu 又 again	lí 离 leave	kě shì 可是 but	jīngcháng 经常 often
4.					

说　明 [Explanations]

○怎么用"怎么"

How to Use the Word "怎么"

"怎么＋动词"用于询问方式、原因等。如：

"怎么＋verb" is used to inquire about the ways, reasons, etc. E.g.

1. 烤鸭怎么吃？
2. 汽车怎么开？
3. 你怎么迟到了？

○太……了

The Sentence Pattern "太……了"

"太＋形容词＋了"表示很高的程度。当形容词为中性或贬义时，常表示否定的态度；当形容词为褒义时，则表示肯定的态度。如：

"太＋adjective＋了" indicates high degree. When the adjective is neutral or negative, the sentence is usually in negative sense; while when the adjective is a positive one, the whole sentence is positive too. E.g.

1. 我太幸福了！　　　（肯定）
2. 太累了！　　　（否定）
3. 太辣了！　　　（否定）

○怎么用"又"

How to Use the Word "又"

副词"又"可以表示几种情况或性质同时存在。如：

The adverb "又" indicates the coexistence of several situations or properties.E.g.

骑车很便宜，又可以锻炼身体。

"又＋动词＋了"可以表示某一动作的重复，常常带有不满的语气。如：

The phrase "又＋verb＋了" can be used to show the repetition of an act with a connotation of dissatisfaction. E.g.

1. 你又迟到了！

2. 又堵车了！

练 习 [Exercises]

☆用"怎么"对画线部分提出问题。

Ask questions using the word "怎么" on the underlined part.

1. 我坐地铁去公司。

2. 堵车了，他迟到了。

3. 我很累，我想睡觉。

☆用"太……了"表达下图的意思。

Indicate the following information with the pattern "太……了".

☆想一想，下面的句子什么时候说。

Explain the situation when you hear following sentences.

1．又堵车了！

2．你又看电视了！

3．姐姐又去买衣服了！

4．你又睡觉了！

☆小组活动：Group activities

1．向你的同伴说说你每天怎么上班。

Explain to your partner the traffic transportations you take to go to work.

2．介绍你居住的城市里各种交通工具的利弊。

Introduce the advantages and disadvantages of different traffic transportations in the city where you live.

听一听 ▷ (Listening)

◇听后填空。

Fill in the blanks after listening.

1．张经理开_____去公司。

2．我每天打的_____。

3．_____里边人很多。

4．坐飞机比坐火车_____。

5．_____比公共汽车方便。

◇听后判断对错，对的写〇，错的写✕。

Listen carefully and write down 〇 for the correct sentence and ✕ after the incorrect sentence.

1．我经常迟到。（　　　）

2．我坐出租车上班。（　　　）

3．坐公共汽车的人很多。（　　　）

文化点击 ▷ （Culture Tips）

中国的公共汽车
Chinese Bus

在中国，有的公共汽车上有售票员，有的没有；有的公共汽车是一个车厢，有的是两个车厢；有的公共汽车有空调，有的则没有。

In China, on some buses there is a bus conductor selling tickets, however, on some buses there is not; some buses have only one compartment, and some buses have two compartmeats; some buses are equiped with air-conditioner, and some are not equiped with air-conditioner.

☆=掌握几种常见天气情况的表达方式
Master several expressions on common weather conditions

☆=介绍自己居住地区的天气情况
Introduce the weather conditions in your area

Tiānqì yuèláiyuè rè le
天气越来越热了
It becomes hotter and hotter.

认一认 ▷ （Recognizing）

30度-23度

17度-9度

18度-10度

13度-2度

35度-28度

27度-16度

零度-零下3度

25度-19度

词语学习 [Words Study]

1.
tiānqì	qíngtiān	yīntiān	xià yǔ
天气	晴天	阴天	下雨
weather	sunny day	cloudy day	rain

xiàxuě	wù	guāfēng	duōyún
下雪	雾	刮风	多云
snow	fog	windy	cloudy

2.
qì wēn	dù	líng xià	gāo	dī
气温	度	零下	高	低
air temperature	centigrade	under zero	high	low

      zhuǎn
3. 转

  turn to

练 习 [Exercises]

☆模仿例句，说出前面各图中的天气情况。

Introduce the weather in the previous pictures by following the examples.

例句：今天是晴天，最高气温30度，最低气温23度。

1.

2.

3.

4.

5.

6.

7.

8.

☆小组活动：和同伴说说最近三天的天气。

Group activity: Talk to your partner about the weather in last three days.

说一说 ▷ (Talking about It)

一年有四个季节，春天、夏天、秋天和冬天。

从三月到五月是春天，春天很暖和，有时候刮风，很少下雨。

从六月到八月是夏天，夏天很热，经常下大雨。

从九月到十一月是秋天，秋天不冷不热，很凉快，很舒服，经常是晴天。

从十二月到二月是冬天，冬天很冷，经常下雪。

词语学习 [Words Study]

1. 季节 (jìjié) season　春天 (chūntiān) spring　夏天 (xiàtiān) summer　秋天 (qiūtiān) autumn　冬天 (dōngtiān) winter

2. 暖和 (nuǎnhuo) warm　冷 (lěng) cold　凉快 (liángkuai) cool　舒服 (shūfu) comfortable　小 (xiǎo) small

3. 有时候 (yǒu shíhou) sometimes　从……到…… (cóng……dào……) from…to…

说　明 [Explanations]

○从……到……（一）

How to Use the Sentence Pattern "从……到……"

"从＋时间₁＋到＋时间₂"表示某段时间的开始和结束。如：

"从＋Time $_1$＋到＋Time $_2$" shows the starting and ending of a period of time. E.g.

从八点到十点　从三月到五月

○不……不……

How to Use the Sentence Pattern "不……不……"

"不＋形容词₁＋不＋形容词₂"（两个形容词是反义词）表示适中，恰到好处。

如：

"不＋adjective $_1$＋不＋adjective $_2$" (two adjectives should be antonyms) to indicate appropriateness. E.g.

1. 这双鞋不大不小。
2. 今天的气温不高不低。

○怎么用"很少"

How to Use the Phrase "很少"

"很少＋动词"表示某个动作发生的频率很低。如：

"很少＋verb" shows the low frequency of certain action. E.g.

1. 他很少给我打电话。
2. 李明很少迟到。

练 习 [Exercises]

☆用下面的句式说说你所居住的地方的季节。
Talk about the seasons in the place where you live by using the following sentence pattern.

从_____月到_____月是春天，从_____月到_____月是_____，从_____月到_____月是_____，从_____月到_____月是_____。

☆用"不……不……"表达下面的意思。
Express the following content by using the pattern "不……不……".

   1．天气很舒服：
   2．人数很合适：
   3．速度很合适：
   4．衣服很合适：
   5．气温很合适：

☆用"很少"表达下面的意思。
Express the following content by using the phrase "很少".

   1．我每年回家两次：
   2．他三个月去一次商店：
   3．张经理每年出差一次：
   4．这儿有时候堵车：

☆小组活动：模仿课文，向同伴介绍一下你居住的地方的季节。
Group activity: Introduce the seasons in the place where you live to your partner.

练一练 ▷ (Practising)

◎ 对话一 [Dialogue 1]
   A：天真阴啊！是不是快下雨了？
   B：天气预报说今天有大雨。
   A：是吗？真糟糕，我没带雨伞。
   B：没关系，我有两把雨伞，可以借给你一把。
   A：太谢谢了！
   B：别客气。

◎ **对话二** [Dialogue 2]

A：天气越来越热，夏天快到了。

B：我最不喜欢夏天了。

A：为什么？

B：太热了，一动就出汗。

A：可是我喜欢夏天，可以去海里游泳。

词语学习 [Words Study]

1.
yù bào	dài	jiè	dòng	chū hàn	yóu yǒng
预报	带	借	动	出汗	游泳
forecast	bring	borrow	move	sweat	swim

2.
zāogāo
糟糕
bad

3.
bǎ	yǔ sǎn	hǎi
把	雨伞	海
measure word	umbrella	sea

4.
méi guānxi	wèi shénme
没关系	为什么
never mind	why

5.
bié	yuèláiyuè
别	越来越
not to do	more and more…

说明 [Explanations]

○怎么用"借"

How to Use the Word "借"

汉语中的"借"可以表示lend和borrow两个意思。当表示lend的意思时，常用"借给＋人＋东西"。如：

In Chinese, the same word "借" can show both meanings "to lend" and "to borrow"; in order to express the meaning "to lend", the sentence pattern "借给＋someone＋something" is used. E.g.

1. 你可以借给我一百块钱吗？

2. 哥哥借给我他的T恤。

○一……就……

How to Use the Sentence Pattern "一……就……"

"一＋动词/形容词＋就＋动词/形容词"用来表示两件事情在时间上前后紧接。如：

"一＋verb/adjective＋就＋verb/adjective" is used to show that two events follow each other in time frame.E.g.

1. 我一到公司就给你打电话。

2. 姐姐一去商店就买衣服。

○怎么用"别"

How to Use the Word "别"

"别＋动词"表示禁止或劝阻。如：

"别＋verb" shows forbiddance or stop.E.g.

1. 别看电视！

2. 你别去！

○越来越……

How to Use the Phrase "越来越……"

"越来越＋形容词"表示程度随着时间而发展。如：

"越来越＋adjective" shows the degree changes along with time.E.g.

1. 冬天到了，天气越来越冷。

2. 雨越来越大。

○快……了

How to Use the Sentence Pattern "快……了"

"快＋动词/形容词/名词＋了"表示某种情况就要发生。

"快＋verb/adjective/noun＋了" shows something is going to happen soon. E.g.

1. 快吃饭了。

2. 现在是11月，天气快冷了。

3. 快三月了。

○副词"没（有）"

The adverb "没（有）"

"没（有）＋动词"是对"动词＋了"的否定。如：

"没（有）＋verb" is the negative form of "verb＋了". E.g.

1. 我吃了，他没吃。

2. 我看了，他没看。

练 习 [Exercises]

☆看图，用"别"表达图片的意思。
Study the pictures carefully and talk with the word "别".

☆看图，用"快……了"表达图片的意思。
Study the pictures carefully and talk with the pattern "快……了".

☆用"一……就……"把下面的词语连成一句话。
Make a sentence with given words and the pattern of "一……就……".

1. 回家　　　吃饭

　　_____

2. 学习汉语　　　想睡觉

　　_____

3．到公司　　　　工作

＿＿＿＿＿＿＿＿＿＿＿＿＿＿＿＿＿＿

4．堵车　　　迟到

＿＿＿＿＿＿＿＿＿＿＿＿＿＿＿＿＿＿

5．下雪　　　堵车

＿＿＿＿＿＿＿＿＿＿＿＿＿＿＿＿＿＿

☆看图，用"越来越……"表达图片的意思。
Study the pictures carefully and talk with the pattern "越来越……".

 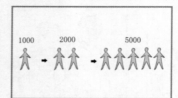 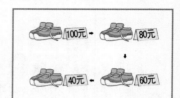

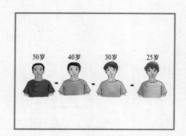  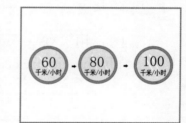

☆用"借"完成下面的句子。
Complete the following sentences with the word "借".

1．他没有钱，＿＿＿＿＿＿＿＿＿＿＿＿＿＿。
2．我没有雨伞，＿＿＿＿＿＿＿＿＿＿＿＿＿？
3．小张没有自行车，＿＿＿＿＿＿＿＿＿＿。

☆把下面的句子变为否定句。
Turn the following sentences into negative ones.

1．下雨了。

＿＿＿＿＿＿＿＿＿＿＿＿＿＿＿＿＿＿

2．他睡觉了。

＿＿＿＿＿＿＿＿＿＿＿＿＿＿＿＿＿＿

3．我吃饭了。

＿＿＿＿＿＿＿＿＿＿＿＿＿＿＿＿＿＿

4．早上堵车了。

＿＿＿＿＿＿＿＿＿＿＿＿＿＿＿＿＿＿

☆小组活动：说说自己喜欢的天气或季节，并说明原因。

Group activity: Talk about your favorite weather or season and explain the reason.

听一听 ▷ (Listening)

◇听后填空。

Fill in the blanks after listening.

1. 今天的最高气温是_____。
2. 明天是_____。
3. 我不喜欢_____。
4. 今天有_____。
5. _____了。

◇听后判断对错，对的写〇，错的写×。

Listen carefully and write down 〇 for the correct sentence and × after the incorrect sentence.

1. 现在是春天。　　　　　（　　　）
2. 我喜欢春天和秋天。　　（　　　）
3. 冬天太冷了，我不喜欢。（　　　）

文化点击 ▷ (Culture Tips)

中国东西南北的温度相差极大，如图：

Temperature varies greatly in east, west, south, and north of China, as shown in the diagram:

哈尔滨：零下40度
Harbin: minus 40 degrees
海南岛：29度
Hainan Island: 29 degrees
北京：零下10度
Beijing: minus 10 degrees
乌鲁木齐：零下35度
Urumchi: minus 35 degrees

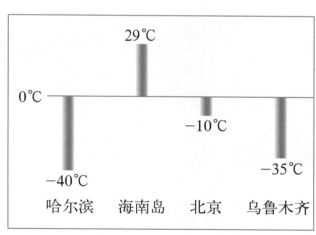

Dì bā kè
第八课 ▷▷
Lesson 8

☆=掌握工作和生活中常穿的几种服装名称
Master the names of clothing in work and everyday life

☆=介绍一个人的穿着
Introduce somebody's dressing

Tā chuānzhe yí tào xīfú
他 穿着 一 套 西服
He's in a Western suit.

认一认 ▷ **(Recognizing)**

1	2	3	4

5	6	7	8

9	10	11	12

📚 词语学习 [Words Study]

	chènyī	xīfú	lǐngdài	tàoqún	wǎnlǐfú
1.	衬衣	西服	领带	套裙	晚礼服
	shirt	western-style clothes	tie	overskirt	evening dress

2. 夹克　　牛仔裤　　毛衣　　内衣
 jiákè　　niúzǎikù　　máoyī　　nèiyī
 jacket　　jeans　　sweater　　underwear

3. 帽子　　皮鞋　　眼镜
 màozi　　pí xié　　yǎnjìng
 hat　　leather shoe　　glasses

4. 套　　条　　副
 tào　　tiáo　　fù
 suit　　pair of　　pair of

说　明 [Explanations]

○ "件"、"条"和"套"
"件"，"条"and"套"

这三个词都可以修饰服装，不过各有区别。"件"用于修饰上衣，如：一件毛衣；"条"用于修饰下装，如：一条牛仔裤；"套"用于修饰上下配套的服装，如：一套西服。

All the three words can be used before clothes but with differences. "件" is used before upper outer garment, E.g. 一件毛衣；while "条" is used before pants, E.g.一条牛仔裤；while "套" is used before the suit, E.g.一套西服.

练　习 [Exercises]

☆ **模仿下面的例子说说前面图中的服装。**
Talk about the clothing in the previous pictures by following the examples.

例：1. 一　件　衬衣　　　7. ＿＿＿ ＿＿＿ ＿＿＿
　　2. ＿＿＿ ＿＿＿ ＿＿＿　　8. ＿＿＿ ＿＿＿ ＿＿＿
　　3. ＿＿＿ ＿＿＿ ＿＿＿　　9. ＿＿＿ ＿＿＿ ＿＿＿
　　4. ＿＿＿ ＿＿＿ ＿＿＿　　10. ＿＿＿ ＿＿＿ ＿＿＿
　　5. ＿＿＿ ＿＿＿ ＿＿＿　　11. ＿＿＿ ＿＿＿ ＿＿＿
　　6. ＿＿＿ ＿＿＿ ＿＿＿　　12. ＿＿＿ ＿＿＿ ＿＿＿

☆ **给下面的三个人穿上不同的服装，并说出来。**
Put on different clothes for three people below and talk about it.

说一说 ▷ (Talking about It)

📚 词语学习 [Words Study]

	chuān	dài	jì
1.	穿	戴	系
	dress	wear	tie

	yánsè	hēisè	báisè	lǜsè	huīsè	lánsè	huángsè	fěnhóngsè
2.	颜色	黑色	白色	绿色	灰色	蓝色	黄色	粉红色
	color	black	white	green	grey	blue	yellow	pink

	zhe
3.	着
	auxiliary word

✎ 说 明 [Explanations]

○ 怎么用 "着"

How to Use the Word "着"

"穿、戴、系＋着＋服装的名称" 可以用来介绍一个人的穿着。注意，表示服装的名词前边多出现数量成分。如：

"穿、戴、系＋着＋name of clothing" can be used to introduce how a person is dressed. Please notice that the quantifier is usually used before the noun indicating clothing. E.g.

　1．张经理穿着一套西服。

　2．我戴着一顶帽子。

　3．他系着一条蓝色的领带。

练　习 [Exercises]

☆看前面的三张图，用"着"说说图中每个人的穿着。

Look at the previous three pictures and talk about the dressing of each person with the word "着".

☆小组活动：互相说说对方和自己今天的穿着。

Group activity:Talk about the clothing of other people and yourself.

☆小游戏：大家围成一个圆圈，选一个人站在圈中心，由这个人描述出圈子里某个人的衣着，被描述者马上举手示意。如果被描述者没有反应或反应时间太长，就输了。这时，描述者与被描述者应互换位置和角色，即描述者进入圆圈，被描述者站入圈中心。新一轮游戏开始。

Small game: The whole class sit in a circle, and then choose one to stand at the center, who is going to describe the clothing of a particular person in the circle, and this person is supposed to put up hands as soon as possible. If he/she doesn't respond or takes a long time to respond, he/she will be the loser and should go to stand at the center and take the place of the previous describer. A new turn starts.

练一练 ▷ (Practise)

◎ 对话一 [Dialogue 1]

A：明天公司有一个重要的会议，我穿什么好？

B：穿白色的衬衣和那套灰色的西服吧！

A：系什么颜色的领带？

B：蓝色很正式，和灰色、白色也相配，系蓝色的领带吧！

A：好吧，听你的！

◎ 对话二 [Dialogue 2]

A：您好！

B：你好！这两条牛仔裤需要水洗，这两套羊毛的衣服需要干洗。

A：好的，我记一下。

B：什么时候可以取？

A：后天下午。

B：好的，谢谢！

A：不客气。

◎ 短文 [Short passage]

　　我最喜欢穿的衣服是T恤、牛仔裤，可是公司要求上班必须穿西服、打领带，所以，我只有周末的时候才能穿休闲服。

词语学习 [Words Study]

zhòngyào	zhèngshì	xiāngpèi
1. 重要	正式	相配
important	formal	match

huìyì	yángmáo	xǐyīdiàn	zhōumò	xiūxiánfú	yīfu
2. 会议	羊毛	洗衣店	周末	休闲服	衣服
meeting	wool	laundry	weekend	sportswear	clothes

shuō	tīng	jì	qǔ
3. 说	听	记	取
say	listen	remember	take

shuǐxǐ	gānxǐ	xūyào	yāoqiú	bìxū
水洗	干洗	需要	要求	必须
water wash	dry cleaning	need	request	must

suǒ yǐ	zhǐyǒu	cái	nà
4. 所以	只有……才……		那
therefore	only… can…		that

说　明 [Explanations]

○指示代词"那"
Indicative Pronoun "那"

　　指示代词"那"，表示远指，结构为：那＋量词＋名词。如：
Indicative pronoun "那" refers to something far. The structure is "那＋measure word＋noun". E.g.
那位顾客　那辆汽车　那个人

○听你的
How to Use the Phrase "听你的"

　　"听你的"用于口语中，表示听从别人的意见。如：
"听你的" is usually used orally to indicate to follow the advice of others. E.g.

A：我们吃烤鸭吧!

B：好，听你的!

○连词"所以"

Conjunction "所以"

连词"所以"用于连接原因和结果。如：

The conjunction "所以" is used to connect the cause and the effect.E.g.

1．我不饿，所以现在不想吃饭。

2．堵车了，所以我迟到了。

只有……才……

How to Use the Sentence Pattern "只有……才……"

"只有……才……"表示只在某种条件下然后怎样。如：

"只有……才……" indicates the result under a certain condition. E.g.

1．只有总经理来才能开会。

2．只有星期六我才回家。

练　习 [Exercises]

☆用"这"和"那"说明下图中的事物。

Talk about the things in the pictures below with "这" and "那".

☆用"所以"完成下面的句子。

Complete the following sentences with "所以".

1．我很累，＿＿＿＿＿＿＿＿＿＿。

2．这个菜太辣了，＿＿＿＿＿＿＿＿＿。

3．下大雨了，可是我没带雨伞，＿＿＿＿＿＿＿＿＿。

☆用"只有……才……"和下面所给的词语说一句话。

Make a sentence by using the words below and the sentence pattern of "只有……才……".

1. 晴天　　　我骑自行车去上班

2. 堵车了　　可以迟到

3. 烤鸭　　　我吃

☆小组活动　Group activities

1. 两个人一组，模仿对话一：一个人不知道穿什么好，另一个人给出建议。
Divide the class into groups of two and follow the example of Dialogue 1: the one doesn't know what to put on and the other give him or her the advice.
2. 两个人一组，模仿对话二：在洗衣店里，一个人是顾客，一个人是服务员。
Divide the class into groups of two and follow the example of Dialogue 2: in a laundry store, one is a customer and the other waiter.

3. 向同伴说说你最喜欢的穿着是什么，并说明原因。
Explain to your partner your favorite clothes and explain the reason.

听一听 ▷　(Listening)

◇根据听到的描述，作出选择。
Choose the answer based on what you hear.

问：下图中哪一个人是小王？　　　（　　）

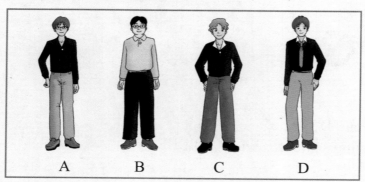

A　　　　　B　　　　　C　　　　　D

◇听后填空。
Fill in the blanks after listening.

　　　李明是大明公司的总经理，经常有_____的_____，所以他每天上班都穿_____的衣服，只有_____的时候，他_____穿休闲服。

补充词语 ▷ (Supplementary Words)

查字典，说说下图中事物的名称。
Look up your dictionary and tell the names of the things in the following pictures.

  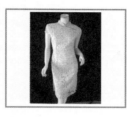 

文化点击 ▷ (Culture Tips)

按照中国人的传统，结婚的时候穿红色的衣服，象征着吉利和幸福，而在丧事上穿白色的衣服，象征着悲伤和哀悼。不过，受西方文化的影响，现在的年轻人结婚的时候也会穿上白色的婚纱。

According to the Chinese tradition, At the wedding ceremony the bride and the groom will dress in red, a color symbolizing luck and happiness; while at the funeral, Chinese will dress in white, a color symbolizing sadness and sorrow. But nowadays, with the influence of the western culture, the young couples will also try white dresses when they get married.

☆=掌握几种爱好的名称
Master several names of your hobbies

☆=简单介绍自己的爱好、兴趣
Briefly introduce your hobbies and interests

Lǎobǎn shì yí ge gōngzuòkuáng
老板是一个 工作狂
The boss is a workaholic.

认一认 ▷ (Recognizing)

1	2	3

4	5	6

7	8	9

词语学习 [Words Study]

1. 爬 (pá) climb   玩儿 (wánr) play

2. 音乐 (yīnyuè) music   电影 (diànyǐng) movie   山 (shān) mountain   高尔夫 (gāo'ěrfū) golf   网球 (wǎngqiú) tennis   电子游戏 (diànzǐ yóuxì) electronic game

3. 逛街 (guàng jiē) go shopping   跑步 (pǎo bù) run   聊天 (liáo tiān) chat

4. 爱好 (àihào) hobby   对……感兴趣 (duì…… gǎn xìngqu) be interested in

说 明 [Explanations]

○怎么表达一个人的爱好
How to Express One's Hobby

询问别人的爱好时，可以用以下几种方法：

When you ask others their hobbies , you can use the following sayings:

1. 你有什么爱好？
2. 你的爱好是什么？
3. 你对什么感兴趣？
4. 你喜欢做什么？

说明一个人的爱好时，可以用以下方法：

When you explain your hobby, you can use the following sentence drills:

1. 我的爱好是……
2. 我对……感兴趣。
3. 我喜欢……

练 习 [Exercises]

☆把下面的动词和名词连接起来。
Match the verbs with nouns below.

听　　　　　电子游戏
看　　　　　高尔夫
玩儿　　　　电影
打　　　　　音乐
爬　　　　　山

☆看下面的句子，总结一下"打"的几种意思。

According to the following sentences, sum up the several meanings of the word "打".

1. 我每天打的上班。
2. 哥哥喜欢打网球。
3. 明天你必须给我打电话。

☆小组活动：Group activities

1. 看着前面的几幅图，按照下面的格式，提问并回答。

Look at the previous pictures, ask and answer questions according to the given forms below.

问：你有什么爱好？
答：＿＿＿＿＿＿＿＿＿＿＿＿＿＿。

问：＿＿＿＿＿＿＿＿＿＿＿＿＿＿？
答：我对＿＿＿＿＿＿＿＿感兴趣。

问：你喜欢做什么？
答：我喜欢＿＿＿＿＿＿＿＿。

2. 向同伴说说自己的爱好是什么。

Describe to your classmate what your hobbies are.

练一练 ▷　(Practising)

◎ 对话一 [Dialogue 1]

A：明天是星期天，我们去打高尔夫吧？
B：不行，明天我得加班。
A：你们公司怎么老加班啊？
B：因为我们老板是一个工作狂！他最大的爱好是工作！

◎ **对话二 [Dialogue 2]**

A：快换到体育台，足球比赛快开始了。

B：不行，我正在看电视剧呢！

A：求你了，这场比赛非常重要啊！

B：你真是一个足球迷！

词语学习 [Words Study]

1.
xíng	děi	jiā bān	huàn	kāi shǐ	qiú
行	得	加 班	换	开 始	求
ok	have to	work overtime	exchange	begin	beg

2.
lǎo	yīnwèi	zhèng zài	fēi cháng
老	因为	正 在	非 常
always	because	be +verb+ing	very

3.
gōngzuòkuáng	tǐ yù tái	diàn shì jù	bǐ sài	zú qiú	mí
工 作 狂	体 育 台	电 视 剧	比 赛	足 球	迷
workaholic	sports channel	TV play	contest	football	fan

4.
chǎng
场
measure word

说　明 [Explanations]

○怎么用"得"
How to Use the Word "得"

助动词"得"表示意志上或事实上的需要，结构为"得＋动词"。如：

As an auxiliary verb, "得" expresses the actual need or the need from one's willing in the form of "得+verb". E.g.

1. 饿的时候得吃饭。

2. 上班得穿西服。

○怎么用"因为"
How to Use the Word "因为"

连词"因为"用于引出原因，可以和"所以"一起出现。如：

The conjuction "因为" is used to introduce the cause, often appears together with "所以". E.g.

1. 因为堵车，我今天迟到了。

2. 因为太累了，所以我不想吃饭。

○怎么用"正在"
How to Use the Word "正在"

副词"正在"表示动作在进行中，句末常出现"呢"。结构为"正在＋动词＋（呢）"。如：

The adverb "正在" indicates someone is doing something and there's usually the word "呢" at the end of the sentence as "正在＋verb＋（呢）". E.g.

1．他正在吃饭。

2．我正在给他打电话呢!

○"怎么老……啊"
How to Use the Sentence Pattern "怎么老……啊"

副词"老"表示某种情况经常出现，常有不满的语气。"怎么老＋动词＋啊？"这个句子常用于对某种经常出现的情况表示不满。如：

The adverb "老" indicates something happens usually with a sense of dissatisfaction. "怎么老＋verb＋啊？" shows dissatisfaction on something happening repeatedly. E.g.

1．你怎么老迟到啊?

2．姐姐怎么老看电视剧啊?

○"……迷"
How to Use the Phrase "……迷"

"名词＋迷"用来指沉醉于某一事物的人。如：

"Noun＋迷" is used to refer to someone indulging in something. E.g.

电影迷 高尔夫迷 电视剧迷。

练 习 [Exercises]

☆看图完成下面的对话。

Complete the following dialogue according to the pictures.

A：我们＿＿＿＿＿＿＿＿＿＿吧?

B：不行，我得＿＿＿＿＿＿＿＿＿。

☆根据下列情境,用"怎么老……啊"表示不满。

The structure of "怎么老……啊" is used to express dissatisfaction.

    1. 你的孩子不喝别的饮料,只喝可乐 _____

    2. 你的朋友总是穿西服 _____

    3. 你的同事每天都坐公共汽车 _____

    4. 一个地方下雨下了好几天 _____

    5. 一个你不喜欢的人常常给你打电话 _____

☆看图,说说图中的人是什么迷。

Study the pictures carefully and say what kind of fans the people in the picturs is.

☆模仿例句,用"怎么"或者"为什么"提出问题,用"因为"回答。

Imitate the sample sentences and ask the question with "怎么" or "为什么", and answer it with "因为".

    例句:A: 今天你怎么/为什么不穿西服?

          B: 因为今天我不去公司。

    1. A: _____?   B: _____。

2. A: _____? B: _____。
3. A: _____? B: _____。

☆看图，用"正在"表达图中的意思。
Study the pictures Carefully and talk with the words"正在".

说一说 ▷ (Talking about It)

　　我有很多爱好，比如听音乐、看电影、打网球。不过，我最喜欢打网球。从周一到周五，我都得上班，没有时间。周六和周日如果不加班，我就和朋友们去打网球，每周两次。打网球累是累，不过可以锻炼身体，也可以放松精神。

词语学习 [Words Study]

1.
bú guò　　　　dōu　　rú guǒ　　jiù
不过　　　　　都　　如果……就……
however　　　all　　if...then...

2.
péngyou　　　zhōu　　　cì
朋友　　　　　周　　　　次
friend　　　　week　　　times

3.
fàngsōng
放松
relax

—86—

说　明 [Explanations]

○怎么用"很多"
how to Use the Word "很多"

"很多"常用于修饰名词，即"很多＋名词"。如：

"很多" is usually used to modify a noun, i.e."很多＋noun".E.g.

1．这儿有很多人。

2．我有很多朋友。

○怎么用"都"
How to Use the Word "都"

副词"都"表示总括，前边常出现表示总括的成分。如：

The adverb "都" is used to show a general situation and the usual status is given before it. E.g.

1．他每天都坐公共汽车。

2．从三点到六点，我都在家。

3．我们都喜欢看电影。

○如果……就……
How to Use the Sentence Pattern "如果……就……"

"如果……"表示假设，"就……"表示出现的结果。如：

"如果……" indicates assumption, and "就……" indicates subsequent result.E.g.

1．如果下大雨，我就不去打网球。

2．如果你喜欢，就买吧!

○每＋时间单位＋数词＋次
每＋ unit of time＋number+times

"每＋时间单位＋数词＋次"表示做事情的周期。如：

"每＋ unit of time＋number＋times" shows the frequency of doing something.E.g.

每天两次　每周一次　每年三次

○……是……，不过……
How to Use the Sentence Pattern "……是……，不过……"

"动词/形容词＋是＋动词/形容词，不过……"用于先承认某种情况，再提出与之相反的情况。如：

"verb/adjective＋是＋verb/adjective，不过……" is used to show confirmation on something at first and then indicate something on the contrary. E.g.

1．这个菜辣是辣，不过很好。

2．我喜欢是喜欢，不过不想买。

练 习 [Exercises]

☆看图，用"如果……就……"表达图中的意思。
Study the pictures carefully and talk with the pattern "如果……就……".

如果 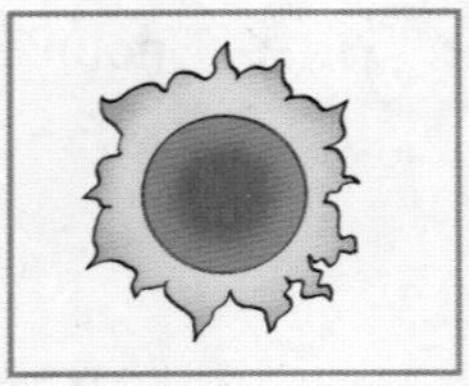 就

如果  就

如果  就

如果  就

☆用"每＋时间单位＋数词＋次"说说你做以下事情的周期。
Talk about your frequency of doing the following things by using the pattern of
"每＋unit of time＋number＋times".

1．和父亲、母亲一起吃饭：_____

2．给好朋友打电话：_____

3．吃饭：_____

4．学习汉语：_____

5．打高尔夫：_____

6．游泳：_____

☆用"都"和所给的词语完成句子。

Complete the following sentences with the word given and the word "都".

　　1. 父亲、母亲和我_____。（律师）
　　2. 星期一、星期二、星期三_____。（下雨）
　　3. 我的朋友们_____。（喜欢爬山）
　　4. 很多菜_____。（有点儿辣）

☆看图，用"……是……，不过……"表达图片的意思。

Study the pictures below carefully and express the content with the pattern "……是……，不过……".

☆小组活动：模仿短文，向同伴介绍一下自己的爱好。

Group activities: imitate the short passage, and introduce your hobby to your classmates.

听一听 ▷ （Listening）

◇听后填空。

Fill in the blanks after listening.

　　1. 我对汉语很_____。
　　2. 他喜欢_____跑步。
　　3. 妈妈的爱好是_____。

◇听后判断正误，对的写○，错的写×。

Listen carefully and write down ○ for the correct sentence and × after the incorrect sentence.

1. 女的不喜欢打高尔夫。（　　　）
2. 女的每周打一次高尔夫。（　　　）
3. 男的每月打两次高尔夫。（　　　）

补充词语 ▷ （Supplementary Words）

从字典中查查图中的事物或动作怎么说。

Look up your dictionary to know how to say the things or actions in the pictures below.

文化点击 ▷ （Culture Tips）

问：很多中国人都喜欢的一个游戏，需要四个人一起围坐在一张方桌旁边，你知道这是什么吗？

Q: A lot of Chinese like a game: four persons will sit around a square table. Do you know what it is?

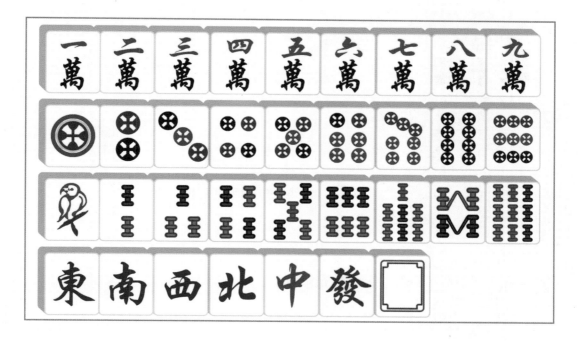

☆=介绍自己的学习和工作经历
Introduce your study and work experience

Wǒ shì　　　nián kāishǐ gōngzuò de
我是2000年开始工作的

I started to work in 2000.

说一说 ▷ （Talking about It）

个人简历表

	时间	毕业院校	专业	学历
学习经历	1990－1994	北方大学	工商管理	本科
	1994－1997	北方大学	MBA	
	1997－2000	南方大学	经济学	博士

	时间	单位	职务
工作经历	2000－2002	大明公司	职员
	2003－2005	大明公司	经理助理
	2005－	东方公司	市场部主管

从1990年到1994年，我在北方大学读本科，专业是工商管理。毕业后到1997年，我读了三年MBA，然后从1997年到2000年在南方大学读了经济学的博士。我的第一份工作是大明公司的职员，后来是经理助理。从2005年到现在我一直是东方公司的市场部主管。

词语学习 [Words Study]

1.
jīnglì	dàxué	zhuānyè	xuélì	dānwèi	zhíwù
经历	大学	专业	学历	单位	职务
experience	university	speciality	educational background	unit	position

2.
běifāng	nánfāng	dōngfāng
北方	南方	东方
north	south	east

3.
dú	běn kē	shuòshì	bó shì
读	本科	硕士	博士
attend school	undergraduate	master	doctor

4.
jīngjìxué	zhùlǐ	shìchǎngbù zhǔguǎn
经济学	助理	市场部 主管
economics	assistant	head of market department

5.
fèn	yì zhí
份	一直
measure word	always

说　明 [Explanations]

○时间＋地方＋动词

Time + Place + Verb

　　汉语的句子中一般先说明动作时间,再说明地点。如:

In Chinese, when there are both time and place for an action, usually time will be expressed first, then place.

主语	说明时间	说明地方	动词性成分
我	昨天	在家	休息
	明年	到日本	工作
	周末	去爷爷家	吃饭

○怎么用"一直"

How to Use the Word "一直"

　　"一直"表示某种情况在某一时间段内存在,没有发生其他变化。如:

　　"一直" indicates that certain situation exists for a certain period of time without any changes. E.g.

　　1. 昨天晚上我一直在家。

　　2. 从9点到12点,小明一直在工作。

　　3. 这几天的天气一直很好。

○ "读了三年MBA"

Spend three years on MBA program

汉语中表示某种行为、情况持续的时间时，用：动词词组＋时段词语＋名词。如：

In Chinese, we use "verb phrase +period of time+noun" to express the continual time of some action and state.E.g.

动词词组	时段词语	名词
读了	三年	MBA
看了	两个小时	电视
学习了	半个月	
休息	七天	
住过	一个星期	
工作了	多长时间	

练 习 [Exercises]

☆查字典，把下面相对应的英文和汉语连接起来。

Look up your dictionary and then connect the English words and the coresponding Chinese words with a line.

法律　　　　　　philosophy
历史　　　　　　politics
语言学　　　　　law
计算机　　　　　linguistics
经济　　　　　　sociology
国际关系　　　　computer
政治学　　　　　economics
哲学　　　　　　international relations
社会学　　　　　history
艺术　　　　　　art

☆模仿例句改写下面的句子。

Rewrite the following sentences according to the example.

例句：从九点到十二点，我一直在学习。→ 我学习了三个小时。

1. 从2001年到2002年，我在北京大学学习汉语。

2. 从三点到五点，爸爸都在看报纸。

3．从2004年到2009年，姐姐一直在当律师。

4．星期一、星期二都在下雨。

☆**看图，用"一直"表达下面图画的意思。**
Study the pictures carefully and talk with the word "一直"

☆**小组活动：**Group Activities

1．每个人根据自己的实际情况填写下表。
Fill in the forms below according to your own actual situation.

学习经历	时间	学校	专业	学历

工作经历	时间	单位	职务

2、根据上面填写的表格，模仿课文中的句子，各自介绍一下学习经历和工作经历。

Imitate the sentence of the text, introduce your study and working experience to each other with the information you filled in the above forms.

从_____到_____，我在__学校__读__专业__的__学历__。

从_____到_____，我是__单位__的__职务__。

学一学1 ▷ （Learning 1）

说 明 [Explanations]

○怎么用"过"

How to Use the Word "过"

"动词＋过＋名词"，表示某种情况曾经发生。其否定形式是"没＋动词＋过＋名词"。如：

The phrase "verb＋过＋noun" is used to show something has happened, and the negative form is "没＋verb＋过＋noun". E.g.

1．我去过北京。　　　　　　我没去过北京。

2．他给我打过电话。　　　　他没给我打过电话。

练　习 [Exercises]

☆复习下面的词语：说说前面图中的人物在做什么。

发　骑　坐　打　吃　学　去　玩　加班

1.＿＿＿＿＿＿＿＿＿＿＿　　6.＿＿＿＿＿＿＿＿＿＿＿

2.＿＿＿＿＿＿＿＿＿＿＿　　7.＿＿＿＿＿＿＿＿＿＿＿

3.＿＿＿＿＿＿＿＿＿＿＿　　8.＿＿＿＿＿＿＿＿＿＿＿

4.＿＿＿＿＿＿＿＿＿＿＿　　9.＿＿＿＿＿＿＿＿＿＿＿

5.＿＿＿＿＿＿＿＿＿＿＿

☆小组活动：两个人一组，模仿下面的对话，用上面的词语提问并回答。
Group activities: Two people as a group, imitate the following dialogue, ask and answer questions with verb phrases appeared in the above pictures.

例：问：你吃过烤鸭吗？
　　肯定回答：吃过。
　　否定回答：没吃过。

问：你＿＿＿＿过＿＿＿＿吗？
肯定回答：＿＿＿＿过。
否定回答：没＿＿＿＿过。

学一学2 ▷　(Learning 2)

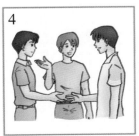  

词语学习 [Words Study]

1.
bì yè	jié hūn	chū chāi	jiè shào	rèn shi	jiànmiàn
毕业	结婚	出差	介绍	认识	见面
graduate	marriage	go on business	introduce	know	meet

2.
jiàotáng	diànyǐngyuàn
教堂	电影院
church	cinema

说　明 [Explanations]

○ "是……的"

Sentence Pattern "是……的"

对某个已知情况，要进一步了解与其相关的时间、地点、方式的时候，常用"是＋时间／地点／方式＋动词＋的"这一句式。在口语中，"是"常常可以省略。如：

In order to get more information on time, place and ways to something already knew, the most common sentence pattern is "是＋Time/Place/Ways/Person＋Verb＋的". In oral expression, the word "是" is usually omitted. E.g.

(1) 问时间 (Ask about time)

A：你去过上海吗?

B：去过。

A：你（是）什么时候去的?

B：去年。

(2) 问地点 (Ask about place)

A：你吃饭了吗?

B：吃了。

A：你（是）在哪儿吃的?

B：饭馆。

(3) 问方式 (Ask about ways)

A：经理来了吗?

B：来了。

A：他是怎么来的?

B：打的来的。

练 习 [Exercises]

☆按照下面的要求，根据前面的图，用"是……的"询问并回答。
According to the requests, ask and answer questions about the previous pictures with the sentence pattern "是……的".

图1：问答时间
图2：问答地点
图3：问答方式
图4：问答方式
图5：问答地点
图6：问答时间

☆小组活动：两个人一组，尽量用所学过的动词，按照下面的格式一问一答。
Group activities: two people as a group, try best to use the verbs you've learned, ask and answer questions according to the given forms.

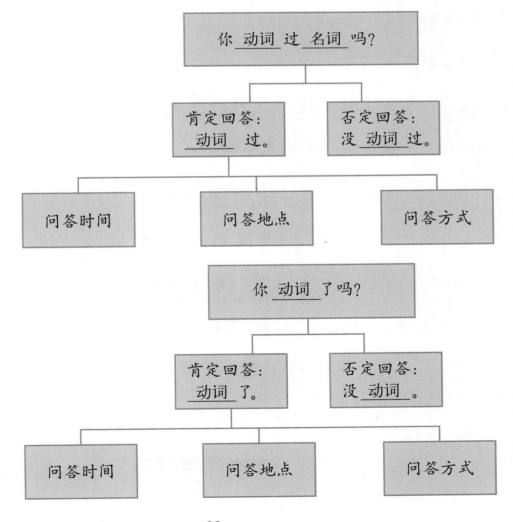

听一听 ▷ (Listening)

◇听对话，先判断正误，然后复述一下对话的内容。

Listen to the dialogue, first decide the following judgements true or false, and then retell the content.

1. 小王出差了。　　　　　　　（　　）
2. 小王是坐飞机去北京的。　　（　　）
3. 小王是前天下午去的。　　　（　　）
4. 小王不是一个人去的。　　　（　　）

◇听一段话，填出其中缺少的信息。

Listen to the dialogue and fill the missing message.

我叫张名，北京人，今年_____。我是1997年_____的，当过两年_____，开过_____，很想到你们公司工作。

文化点击 ▷ (Culture Tips)

中国10大银行

工商银行　

中国银行　

建设银行　

农业银行　

交通银行　

招商银行　

中信银行　

上海浦发　

民生银行

☆=掌握倍数、分数、小数等数字的读法
Master the way of reading multiples, fractions and decimals

☆=简单介绍公司的一些数据
Briefly Introduce of data of the company

Nánzhíyuán shì nǚ zhíyuán de liǎng bèi
男职员是女职员的两倍
The number of male workers is two times more than that of female ones.

学一学 ▷ **(Learning)**

公司职员人数柱形图
Staff Histogram of a Company

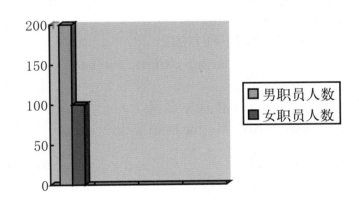

■ 男职员人数
■ 女职员人数

📚 词语学习 [Words Study]

bèi	fēn zhī		bǎi fēn zhī	zuǒyòu
1. 倍	……分之……		百分之……	……左右
times	fraction		percent	about

	zhàn	qízhōng
2.	占	其中
	account for	among

	nán	nǚ
3.	男	女
	male	female

说　明 [Explanations]

○分数的读法
The Way of Reading Fractions

汉语中分数的读法是从下向上读。如：

In Chinese, fraction is read from the bottom upE.g.

2/3　读作　三分之二　　1/9　读作　九分之一

○小数的读法
The Way of Reading Decimals

小数	读作
3.2	三点二
15.67	十五点六七
201.375	二百零一点三七五

○怎么表达概数
How to Express an Approximate Number

这里介绍汉语中表达概数的三种方法：

Here are three ways to express an approximate number:

1．数字（10的倍数）＋多＋量词＋名词：

Number (multiple of 10) +多+ measure word + noun：

二十多个人　　十多瓶啤酒

2．数字（10的倍数）＋量词＋名词＋左右：

Number (multiple of 10) + measure word + noun +左右：

十个人左右　　五十块钱左右

3．两个相邻数字＋量词＋名词：

Two numbers in a row + measure word + noun：

两三杯茶　　十二三口人

○怎么表达倍数关系
How to Express Multiples

表达倍数关系常用的句式是：A是B的＋倍数。如：

To express multiples, we often use the sentence pattern of "A是B的+ multiples".E.g.

男职员是女职员的两倍。

○怎么表达部分和整体的数量关系

How to Express the Quantitative Relationship between the Part and the Whole

表达部分和整体的数量关系的常用句式是：A（部分）占B（总数）的＋分数或百分数。如：

To express the quantitative relationship between the part and the whole, we often use sentence pattern of "A(part)占B(whole)的+fraction or percentage". E.g.

女职员占公司职员的三分之一／百分之三十三左右。

练　习 [Exercises]

☆读出下面的数字。

Read out the following figures.

3/5　　1/10　　72%　　16%　　0.62　　79.19　　0.008

☆看下面的等式，模仿例句，用倍数关系表达。

Look at the following equals, imitate the example and express the multiples.

例：　5×2＝10

10是5的两倍，10是2的五倍。

1．3×7＝21

2．120÷60＝2

3．88×3＝254

☆看前面的"公司职员人数柱形图"后填空。

Look at the Previous Staff Histogram of a Company and fill the blanks.

1．公司一共有（　　　）名职员，其中（　　　）名是女职员，（　　　）名是男职员。

2．男职员是女职员的（　　　）。

3．女职员是男职员的（　　　）／（　　　）。

4．男职员占公司职员的（　　　）／（　　　）。

5．女职员占公司职员的（　　　）／（　　　）。

☆用"其中"完成下面的句子。

Complete the following sentences with the word "其中"。

1．我买了很多东西，＿＿＿＿＿＿＿＿＿＿最贵。

2．我们点了几个菜，＿＿＿＿＿＿＿＿＿＿＿有点儿辣。

3．我去过很多地方 (place)，＿＿＿＿＿＿＿＿＿＿＿我最喜欢。

☆按照要求，用不同的概数表达法回答下面的问题。

According to the requirements, answer the following questions with different approximate numbers.

1．A：这双鞋多少钱？

　　B：＿＿＿＿＿＿＿＿＿＿＿。　　　（……多）

2．A：你们公司有多少人？

　　B：＿＿＿＿＿＿＿＿＿＿＿。　　　（……左右）

3．A：现在几点？

　　B：＿＿＿＿＿＿＿＿＿＿＿。　　（两个相邻数字）

4．A：今天多少度？

　　B：＿＿＿＿＿＿＿＿＿＿＿。　　　（……多）

5．A：从公司到家远吗？

　　B：＿＿＿＿＿＿＿＿＿＿＿。　　　（……左右）

6．A：你每天晚上几点睡觉？

　　B：＿＿＿＿＿＿＿＿＿＿＿。　　（两个相邻数字）

☆小组活动：Group activities

1、两个人一组模仿上面的形式，一问一答。

Imitate the above form, ask and answer questions by two people a group.

(1) A：＿＿＿＿＿＿＿＿＿＿＿？

　　B：＿＿＿＿＿＿＿＿＿＿＿。　　（……多）

(2) A：＿＿＿＿＿＿＿＿＿＿＿？

　　B：＿＿＿＿＿＿＿＿＿＿＿。　　（两个相邻数字）

(3) A：＿＿＿＿＿＿＿＿＿＿＿？

　　B：＿＿＿＿＿＿＿＿＿＿＿。　　（……左右）

2、看下面的饼图，向同伴说明男女的比例。

Look at the following piegraph and explain the rate of male and female to your classmate.

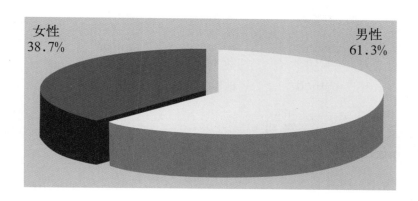

女性
38.7%

男性
61.3%

练一练 ▷ (Practising)

◎ 对话一 [Dialogue 1]

A：经理，这是本月的销售情况，请您过目。

B：怎么比上个月下降了百分之十啊？

A：最近我们对面新开了一个超市，所以……

B：你去通知销售部门的职员，下午开一个紧急会议，商量一下解决办法。

A：好的，我马上去。

◎ 对话二 [Dialogue 2]

A：我们公司又要招聘新职员了。

B：计划招聘多少人？

A：50人，比去年增长了20%左右。

B：看来公司的规模越来越大了。

A：是啊，公司职员之间的竞争也越来越激烈了。

词语学习 [Words Study]

xiāoshòu 1. 销售 sell	guò mù 过 目 take a look	zēngzhǎng 增长 increase	xiàjiàng 下降 fall	tōngzhī 通知 notice	shāngliang 商量 negotiate

jiě jué
解决
resolve

zhāopìn
招聘
recruit and employ through advertisement and examination

qíngkuàng 2. 情况 situation	zuì jìn 最近 recently	duìmiàn 对面 opposite	chāoshì 超市 supermarket

bù mén	bàn fǎ	guī mó	zhī jiān
部门	办法	规模	之间
department	method	scale	between

　　　　xīn　　　　　　jǐnjí　　　　　　jīliè
3. 新　　　　紧急　　　　激烈
　　new　　　　urgent　　　　intense

　　　　mǎshàng
4. 马上
　　immediately

说　明 [Explanations]

○ "比" 字句（二）
Sentence Pattern with "比"（Ⅱ）

A比B＋动词/形容词（与数量有关的）＋数字。如：

"A比B＋verb/adjective (relating to the figures)＋figure".E.g.

1. 这件衣服比那件衣服贵100块。

2. 昨天的气温比今天的气温高3度。

练　习 [Exercises]

☆用 "A比B＋动词/形容词（与数量有关的）＋数字" 表达下面各图的意思。

Express the meaning of the following pictures with the structure "A比B＋verb/adjective (relating to the figures)＋figure".

☆用指定的词语完成句子或对话。

Complete the sentences or dialogues with the given words.

1. A：今天你想穿什么？
   B：_____。　　（新）
2. 请稍等，_____。　　（马上）
3. _____没有秘密 (secret)。　　（之间）
4. A：你们公司在哪儿？
   B：_____。　　（对面）
5. 每个月的销售情况_____。　　（过目）

☆小组活动：说一说，一家公司一般有哪些部门？

Group activities:What departments do a company generally have?

说一说 ▷　(Talking about It)

1980年和1995年世界人均啤酒消费量变化（升／人／年）
World Average Beer Consumption in 1980 and 1995(litre/person/year)

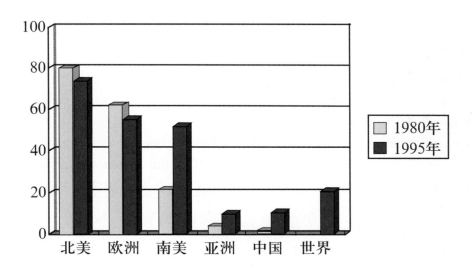

　　这个图表示的是1980年和1995年世界人均啤酒消费量的变化。从图中我们可以知道，北美和欧洲的人均啤酒消费量很大，不过，1995年比1980年下降了一些。南美、亚洲和中国1980年的人均啤酒消费量不太大，但是1995年比1980年明显增长了，其中增长最多的是南美，已经接近欧洲的消费量，超过了世界人均啤酒消费量。亚洲和中国1995年的人均啤酒消费量虽然增长了，但是比1995年世界人均啤酒消费量还低百分之五十左右。

词语学习〔Words Study〕

1. 表示 biǎoshì express　变化 biànhuà change　接近 jiējìn approach　超过 chāoguò exceed

2. 图 tú picture　人均 rénjūn per person　消费量 xiāofèiliàng consumption　一些 yìxiē some

3. 世界 shìjiè world　北美 Běiměi North America　欧洲 Ōuzhōu Europe　南美 Nánměi South America　亚洲 Yàzhōu Asia　中国 Zhōngguó China

4. 明显 míngxiǎn obvious　已经 yǐjīng already

5. 虽然 suīrán although　还 hái still

说　明〔Explanations〕

○怎么用"虽然"

How to Use the Word "虽然"

　　连词"虽然"一般用在上半句，下半句常常有"不过"、"可是"、"但是"，表示承认A为事实，但B并不因为A而不成立。如：

　　The conjunction "虽然" is used in the first half of the sentence, while the phrases of "不过" and "可是" used in the second half of the sentence usually show that the attitude of agreeing that A is a fact but B is also a fact inspite of that. E.g.

　　1. 虽然刮风，可是不冷。

　　2. 虽然他很年轻，不过身体不好。

　　3. 虽然已经12点了，但是我不想睡觉。

○怎么用"还"

How to Use the Word "还"

　　副词"还"表示现象继续存在或动作继续进行。如：

　　The adverb "还" is used to show that certain status or action continues. E.g.

　　1. 今天很冷，可是他还跑步。

　　2. 我吃了很多，还很饿。

练习 [Exercises]

☆用"虽然"完成下面的句子。
Complete the following sentences with the word"虽然".

1. _____，可是我得加班。
2. _____，不过现在还没有工作。
3. _____，可是他穿着毛衣。
4. _____，不过人太多了。
5. _____，但是经常没有时间。

☆用"还"表达下面各图的意思。
Express the meaning of the pictures with the word"还".

☆小组活动：Group activities

1、下面是世界成熟啤酒商和中国啤酒商的啤酒成本结构图，请比较后说明。

The following is the Diagram of Beer Cost Structure of the world mature brewer and Chinese domestic brewer. Please talk about it after comparison.

提示：Supplment Words

chéngběn 成　本 cost	jié gòu 结　构 structure	yuáncáiliào 原材料 raw materials	yùnshūfèi 运输费 delivery cost	shìchǎng 市　场 market
guǎnlǐfèi 管理费 overhead expenses	gōngzī 工资 salary	zhéjiù 折旧 depreciation	lìxī 利息 interest	shuìshōu 税收 tax revenue	lìrùn 利润 profit

啤酒成本结构图 Diagram of Beer Cost Structure

世界成熟啤酒商 World mature brewer

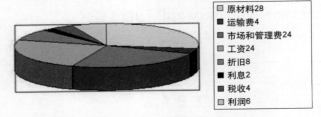

☐ 原材料28	
■ 运输费4	
■ 市场和管理费24	
☐ 工资24	
■ 折旧8	
■ 利息2	
■ 税收4	
☐ 利润6	

中国啤酒商 Chinese domestic brewer

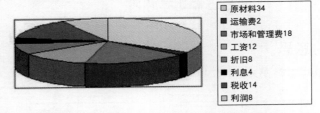

☐ 原材料34	
■ 运输费2	
■ 市场和管理费18	
☐ 工资12	
■ 折旧8	
■ 利息4	
■ 税收14	
☐ 利润8	

2、下面是关于中国人上网地点的调查结果，请进行说明。

The following diagram is a survey on the places where Chinese have access to Internet. Please explain in details.

提示：Suppliment Words

wǎngbā   qítā
网吧   其他

Internet Cafe   other

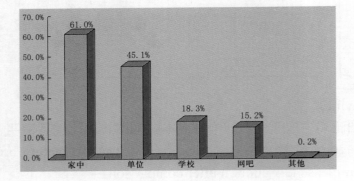

听一听 ▷ (Listening)

◇听后写出数字。

Write down the figures on the lines after listening.

1. _____

2. _____

3. _____

4. _____

5. _____

◇听后填空。

Fill in the blanks after listening.

1. 大明公司一共有职员_____，其中男职员是女职员的_____。

2. 今年公司的销售量比去年增长了_____。

文化点击 ▷ （Culture Tips）

下面是一些和数字有关的俗语或成语，你知道它们的意思吗？

The following are some common sayings or idioms with figures. Do you know what they mean?

一把手　二百五　三只手　四不像　五颜六色　七嘴八舌　九牛二虎之力
十全十美

Dì shí èr kè

第十二课 ▶▶
Lesson 12

☆=了解中国的节日
Get familiar with Chinese festivals

☆=谈论自己的计划
Talk about your plan

Jīnnián de dàixīn niánjià nǐ xiū le ma
今年的带薪年假你休了吗?
Do you have your paid annual vacation this year?

认一认 ▷ (Recognizing)

词语学习 [Words Study]

1. jiérì　　　Chūn Jié　　　　Yuánxiāo Jié　　　　　Zhōngqiū Jié
　　节日　　　春 节　　　　　元 宵 节　　　　　　中 秋 节
　　festival　　Spring Festival　　Lantern Festival　　Mid-autumn Festival

　　Láodòng Jié　　　　　　　　　　　Guóqìng Jié　　　Yuándàn
　　劳 动 节　　　　　　　　　　　　国 庆 节　　　　元 旦
　　International Labor Day(May 1st)　National Day　　New Year's Day

　　Gǎn'ēn Jié　　　　Shèngdàn Jié
　　感 恩 节　　　　圣 诞 节
　　Thanksgiving Day　Christmas Day

2. biānpào　　　méiguīhuā　　qiǎokèlì　　yuèliang　　yuèbing　　huǒjī
　　鞭炮　　　　玫瑰花　　　巧克力　　　月亮　　　月饼　　　火鸡
　　fireworkers　rose flowers　chocolate　moon　　mooncake　turkey

3. fàng　　　sòng
　　放　　　送
　　place　　send

説　　明 [Explanations]

○阴历和农历

Lunar calendar

　　阴历，也称农历，是中国的传统历法。中国的传统节日春节、元宵节、中秋节都是按照阴历来计算的。春节就是阴历一月一号，元宵节就是阴历一月十五号，中秋节就是阴历八月十五号。

　　The lunar calendar is the traditional calendar used in China. All the traditional holidays celebrated in China, such as Spring Festival, Lantern Festival, Mid-autumn Festival, are all in lunar calendar. The Spring Festival is celebrated on the first day of the first lunar month, and people celebrate the Lantern Festival on the fifteenth day of the first lunar month and the Mid-autumn Festival on the fifteenth day of the eighth lunar month.

✍ 练 习 [Exercises]

☆将下面的节日和节日中的活动连起来，并导出句子。

Join the words with a line in different column according to the festival custom.

节日	动词	事物
1.春节	吃	玫瑰花
2.中秋节	看	元宵
3.情人节	送	饺子
4.感恩节	放	月亮
5.元宵节		鞭炮
		月饼
		火鸡

1._____

2._____

3._____

4._____

5._____

6._____

7._____

☆小组活动：Group activities

1. 用新学的词语说说中国人在春节、元宵节和中秋节做什么事情。

Talk about the things Chinese people will do during the Spring Festival, Lantern Festival, and Mid-autumn Festival with the words you newly learned.

2. 向同伴说说你们国家有哪些重要的节日。

Introduce the important holidays celebrated in your country.

练一练 ▷ (Practising)

◎ 对话一 [Dialogue 1]

A：圣诞节快到了，你们公司放几天假啊？

B：大概一个星期。

A：那你打算怎么过？

B：和家人一起去滑雪，过一个白色的圣诞节。你呢？

A：没有什么计划，现在我只想在家睡觉，好好儿休息。

◎ **对话二 [Dialogue 2]**

A：怎么好久没看见你啊？

B：我去休假了。今年的带薪年假你休了吗？

A：本来我打算五月休假，可是老板不批，所以我的计划泡汤了。

B：看来你在公司很重要啊！

A：你别拿我开心了！

词语学习 [Words Study]

1.
fàng jià	dǎsuan	guò	huá xuě	xiūxi	xiū jià
放假	打算	过	滑雪	休息	休假
have a holiday	intend	spend	ski	take a rest	take a vocation

pī	pào tāng	ná kāixīn
批	泡汤	拿……开心
criticize	fail	make fun of

2.
dà gài	hǎohāor	hǎo jiǔ	běn lái
大概	好好儿	好久	本来
likely	well	for a long time	originally

3.
dàixīn niánjià	jìhuà
带薪年假	计划
paid annual vacation	plan

4.
kànlái
看来
it looks as if, seemingly

说　明 [Explanations]

○连词"那"

"那" as a Conjuction

连词"那"表示顺着上文的语意，申说应有的结果或作出判断。如：

"那" as a conjuction follows the forgoing context to explain the due results or make decision. E.g.

1．A：我很累。

　　B：那你休息吧！

2．如果明天下雨，那我就不去了。

○本来……，可是……，所以……

The Sentence Pattern "本来……，可是……，所以……"

　　"本来"后边是以前的某种情况，"可是"后边是事情发生了转折，"所以"后边是事情发生变化后的结果。如：

　　"本来"refers certain situation in the past，"可是"indicates that things have changed, and after "所以" is the results of the change.E.g.

　　1．我本来打算去上海，可是朋友们想去北京，所以我和他们一起去北京了。

　　2．我本来想喝可乐，可是没有，所以我买雪碧了。

○怎么用"看来"

How to Use the Word "看来"

　　"看来＋小句"表示根据某种情况作出某种判断。如：

　　"看来＋Clause" can be used to express an estimation based on the certain circumstances. E.g.

　　1．他一回家就睡觉了，看来他很累。

　　2．外边的人都穿着很厚（thick）的衣服，看来今天很冷。

练　习 [Exercises]

☆用连词"那"完成下面的对话。

Complete the following dialogues with the conjunction "那".

　　1．A：下雨了。

　　　　B：＿＿＿＿＿＿＿＿＿＿＿＿。

　　2．A：我很饿。

　　　　B：＿＿＿＿＿＿＿＿＿＿＿＿。

　　3．A：这个菜太辣了！

　　　　B：＿＿＿＿＿＿＿＿＿＿＿＿。

　　4．A：我很喜欢这件衣服。

　　　　B：＿＿＿＿＿＿＿＿＿＿＿＿。

☆看图，用"看来"表达图中的意思。

Study the following pictures carefully, and express the meaning with the word "看来".

☆看下面的前三组图，用"本来……，可是……，所以……"表达。在后边的两组空白处，画出自己的想法，再用"本来……，可是……，所以……"表达出来。

Look at the first three picture groups and express their meanings with the pattern "本来……,可是……,所以……".Draw your own picture groups in the blanks, and express your ideas with the pattern "本来……,可是……,所以……".

5. 本来　　　　　可是　　　　　所以

☆小组活动：两个人一组，模仿前面的两段对话，谈论假期的计划。

Group activities: Two people as a group, talk about the holiday plan by imitating the previous two dialogues.

说一说 ▷ (Talking about It)

小王的一周计划
Xiao Wang's One-week Plan

周一	9：00	公司例会，布置本周工作
周二	14：00	去机场接机，从上海来的客户
周三	10：00	陪同客户参观工厂
周四	18：00	宴请客户
周五		和客户洽谈生意
周六		陪同客户打高尔夫、购物
周日		妻子生日

词语学习 [Words Study]

1.
lìhuì	kèhù	gōngchǎng	shēngyi	shēngrì
例会	客户	工 厂	生意	生日
regular meeting	customer	factory	business	birthday

2.
bù zhì	jiē jī	péitóng
布置	接 机	陪 同
arrange	meet in the airport	together with

cānguān	yànqǐng	qiàtán	gòuwù
参 观	宴 请	洽 谈	购 物
visit	entertain	negotiate	shopping

3.
běn
本
myself or this

说 明 [Explanations]

○指示代词"本"

"本" as a Demonstrative Pronoun

"本＋名词"指自己方面的或现今的，比较正式。如：

"本＋noun" indicates oneself or the present and is a relatively formal form. E.g.

本人 本年

练 习 [Exercises]

☆用"本"改写下面的句子。

Rewrite the sentence below with the word "本".

1. 这个月的工作很多。
2. 我的爱好是爬山。
3. 这个星期常常下雨。
4. 我们公司的生意很好。

☆小组活动：Group activities

1. 看前面的"小王的一周计划"，说说小王本周打算做什么。

Study the previous "Xiao wang's One-week Plan" and talk about his weekly activities.

2. 周日是小王妻子的生日，说说他可能有什么打算。

Sunday is the birthday of Xiao Wang's wife, talk about his possible plans.

3. 填写你自己的一周计划，并向同伴说明。

Fill in the form with your one-week plans and explain it to your partner.

周一	
周二	
周三	
周四	
周五	
周六	
周日	

听一听 ▷ (Listening)

◇听对话，选择正确答案。

Listen to the dialogue, and choose the right answer.

问：男的放假做什么了？

A 旅游　　　　B 在家休息　　　　C 加班　　　D 和孩子玩儿

◇听后填空。

Fill in the blanks after listening.

中国有两个节日放假七天，＿＿＿＿＿和＿＿＿＿＿。春节的时候，人们都回家
＿＿＿＿家人过节，或者和朋友们见面、吃饭、＿＿＿＿。十一期间，＿＿＿的人很多。

文化点击 ▷ (Culture Tips)

中国节日一览表
Chinese Festivals

节日 Festivals	时间 Date	风俗习惯 Custom
元旦 New Year's Day	1月1号 January 1	放假一天 One-day holiday
春节 Spring Festival	农历正月初一 1st day of the 1st lunar month	全家团聚、放鞭炮、吃饺子、穿新衣、送红包，放假三天 Family reunion, crackers and firework, dumplings, new dresses, giving children money as gift with blessings, Three-day holiday
元宵节 Lantern Festival	农历正月十五 15th day of the 1st lunar month	全家团聚、吃元宵、看花灯，不放假 Family reunion, glutinous dumplings, lantern show, no holiday
清明节 Tomb-sweeping Day	4月5号前后 around April 5	扫墓、祭祀祖先，放假一天 grave-sweeping, offering sacrifices to ancestors, one-day holiday

劳动节 International Labor Day	5月1号 May 1	放假一天 One-day holiday
端午节 Dragon Boat Festival	农历五月初五 5th day of the 5th lunar month	吃粽子、赛龙舟，放假一天 Making and eating zongzi, dragon boat race, one-day holiday
中秋节 Mid-autumn Festival	农历八月十五 15th day of the 8th lunar month	全家团聚、吃月饼、赏月，放假一天 Family reunion, eating moon cake, appreciating the moon, one-day holiday
国庆节 National Day	10月1日 October 1	放假三天 Three-day holiday

答：是麻将。麻将共一百四十四张，需要四个人才能玩儿。

A: That's mah-jong. There are a total of 144 pieces of mah-jong and you need four persons to play it.

=附录一 听力录音文本=
Listening Script for Recording

第一课

文本一
1. 504.00元　2. 119.30元　3. 220.00元　4. 837.00元　5. 949.88元

文本二
100美元是684元人民币；100欧元是860元人民币；100港币是88元人民币；100英镑可以换1020元人民币；100日元可以换7元人民币；100韩币是0.46元人民币。

文本三
A：师傅，我要一盒牛奶，一个三明治，一共多少钱？
B：一盒牛奶4块，一个三明治14块，一共18块。
A：给您20块。
B：找您两块。

第二课

文本一
1. 今天5月8号。
2. 昨天星期四。
3. 我每天下午三点学习。
4. 他每天早上七点半起床。

文本二
今天是星期三，早上我7点起床，7点半吃早饭，8点一刻出门，9点上班。中午12点吃午饭，1点上班，下午5点下班。

第三课

文本一
1. 13907483720　　2. 64813897　　3. 13254039824　　4. 87250519

文本二

　　张华是大明公司的秘书，他的电话号码是13245876901，他的E-mail是zhang@sina.com，你可以给他打电话，可以给他发E-mail。

第四课

文本一

　　1. 我家有三口人，丈夫、儿子和我。
　　2. 父亲在医院上班，母亲是银行职员。
　　3. 大哥今年42岁，二哥40岁，我37岁。

文本二

　　男：这个人是谁？
　　女：是我大弟。
　　男：你有几个弟弟？
　　女：两个。
　　男：你的两个弟弟多大？
　　女：大弟20岁，二弟17岁。
　　男：是吗？我也有两个弟弟，大弟17岁，二弟15岁。

第五课

文本一

　　1. 我不喜欢吃辣的菜。
　　2. 来两瓶啤酒！
　　3. 他们要三碗米饭。
　　4. 请快一点儿！
　　5. 您几位？
　　6. 请稍等！
　　7. 开一张发票吧。

第六课

文本一

　　1. 张经理开私家车去公司。
　　2. 我每天打的回家。
　　3. 地铁里边人很多。
　　4. 坐飞机比坐火车快。
　　5. 城铁比公共汽车方便。

文本二

　　我每天坐公共汽车去上班，公共汽车很便宜，也很方便，可是坐公共汽车的人太多了，也经常堵车，所以有时候我迟到。

第七课

文本一

1. 今天的最高气温是32度。
2. 明天是晴天。
3. 我不喜欢下雨。
4. 今天有大雾。
5. 刮大风了。

文本二

　　春天快到了，这是我最喜欢的季节，不冷不热，很舒服。我也喜欢夏天，可以去游泳。我最不喜欢冬天，太冷了，下大雪。

第八课

文本一

A：谁是小王？
B：他穿着一件蓝色的衬衣，一条黑色的裤子，一双皮鞋，戴着一副眼镜。

文本二

　　李明是大明公司的总经理，经常有重要的会议，所以他每天上班都穿正式的衣服，只有周末的时候，他才穿休闲服。

第九课

文本一

1. 我对汉语很感兴趣。
2. 他喜欢每天晚上跑步。
3. 妈妈的爱好是看电视剧。

文本二

女：你去哪儿？
男：我去打高尔夫。你喜欢打吗？
女：我也喜欢。你每周都打吗？
男：不，如果有时间，我每月打两次。

第十课

文本一

A：小王去哪儿了？

B：他去上海出差了。

A：什么时候去的？

B：昨天下午。

A：是坐飞机去的吗？

B：是。

A：是一个人去的吗？

B：不是，是和老李一起去的。

文本二

我叫张名，北京人，今年34岁。我是1997年大学毕业的，当过两年秘书，开过自己的公司，很想到你们公司工作。

第十一课

文本一

1. 76%　　　2. 4/7　　　3. 25.78　　　4. 54.3%　　　5. 3/11

文本二

1. 大明公司一共有职员420名左右，其中男职员是女职员的1.5倍。

2. 今年公司的销售量比去年增长了百分之二十一二。

第十二课

文本一

男：放假去哪儿玩儿了？

女：带孩子去旅游了。你呢？

男：本来我的计划是在家好好休息，可是公司来了重要客户，所以只能加班了。

文本二

中国有两个节日放假七天，春节和十一。春节的时候，人们都回家陪同家人过节，或者和朋友们见面、吃饭、聊天。十一期间，旅游的人很多。

文本三

A：师傅，我要一盒牛奶，一个三明治，一共多少钱？

B：一盒牛奶四块，一个三明治十四块，一共十八块。

A：给您二十块。

B：找您两块。

=附录二 本书12个话题的常用句=
Common Sentences on 12 Topics of This Book

	话题功能	常用句
L1	购物	1. 一瓶可乐多少钱？ 2. 给您钱。 3. 我要这双鞋。
L2	时间	1. 现在几点？ 2. 今天几月几号？ 3. 今天星期几？ 4. 你什么时候学习汉语？ 5. 我每天晚上12点睡觉。
L3	联系方式	1. 可以告诉我你的电话号码吗？我给你打电话。 2. 给我发电子邮件。 3. 这是我的名片。
L4	家庭	1. 我家有五口人。 2. 哥哥三十二岁。 3. 这是我的全家福。 4. 我父亲在银行工作，是银行职员。
L5	点菜	1. 来一瓶啤酒！ 2. 我要一碗米饭。 3. 这个菜有点儿辣。 4. 我们很饿，请快一点儿。 5. 结账，请开一张发票。 6. 我吃饱了。
L6	交通方式	1. 你每天怎么上下班？ 2. 我开车上下班。 3. 公共汽车比地铁便宜。 4. 又堵车了！ 5. 公司离我家很远。

L7	天气	1．今天是晴天。 2．昨天下雪了。 3．春天很少下雨。 4．天气越来越热。 5．今天20度，不冷不热，很舒服。
L8	衣着打扮	1．他穿着一套黑色的西服，系着一条蓝色的领带，还戴着一副眼镜。 2．我喜欢穿休闲服。 3．红色和黄色不相配。 4．这件衣服需要干洗。什么时候可以取？
L9	爱好	1．我对高尔夫感兴趣。 2．我喜欢逛街。 3．他是一个足球迷。 4．老板是一个工作狂。
L10	经历	1．我在北方大学读经济学专业的博士。 2．他是大明公司的市场部经理。 3．他正在读MBA。 4．我们是去年认识的。
L11	数字	1．男职员是女职员的两倍。 2．公司百分之八十左右是男职员。 3．这是公司的销售情况，请您过目。 4．人均消费量明显增长。
L12	计划	1．春节放假一周。 2．感恩节吃火鸡。 3．我打算圣诞节去滑雪。 4．看来我的休假计划泡汤了。

=附录三 生词总表=
Vocabulary List

A		
爱好	àihào	9
B		
八	bā	1
把	bǎ	7
白色	báisè	8
百	bǎi	1
百分之……	bǎifēnzhī	1
半	bàn	2
办法	bànfǎ	11
饱	bǎo	5
杯	bēi	5
北方	běifāng	10
北美	Běiměi	11
倍	bèi	11
本	běn	12
本科	běnkē	10
本来	běnlái	12
比	bǐ	6
比赛	bǐsài	9
毕业	bìyè	10
必须	bìxū	8
鞭炮	biānpào	12
变化	biànhuà	11
表示	biǎoshì	11
别	bié	7
博士	bóshì	10
不	bù	3
不过	búguò	9
不客气	bú kèqi	3
部门	bùmén	11

布置	bùzhì	12
C		
菜	cài	5
菜单	càidān	5
参观	cānguān	12
茶	chá	5
场	chǎng	9
超过	chāoguò	11
超市	chāoshì	11
衬衣	chènyī	8
吃饭	chī fàn	2
迟到	chídào	6
出差	chū chāi	10
出汗	chū hàn	7
出租车	chūzūchē	5
穿	chuān	8
传真	chuánzhēn	3
春天	chūntiān	7
春节	Chūn Jié	12
次	cì	9
从……到……	cóng…dào…	7
D		
打	dǎ	3
打的	dǎ dī	6
打算	dǎsuan	12
大	dà	4
大概	dàgài	12
大明公司	Dàmíng Gōngsī	3
大学	dàxué	10
带	dài	7

带薪年假	dàixīn niánjià	12		二	èr	1
戴	dài	8				
单位	dānwèi	10	**F**			
倒霉	dǎoméi	6		发	fā	3
的	de	3		发票	fāpiào	5
得	de	9		饭馆	fànguǎn	5
等	děng	5		方便	fāngbiàn	6
低	dī	7		放	fàng	12
弟弟	dìdi	4		放假	fàng jià	12
地铁	dìtiě	6		放松	fàngsōng	9
点	diǎn	2		非常	fēicháng	9
点菜	diǎncài	5		飞机	fēijī	6
电话	diànhuà	3		分	fēn	2
电脑	diànnǎo	3		⋯⋯分之⋯⋯	⋯fēnzhī⋯	11
电视	diànshì	2		粉红色	fěnhóngsè	8
电视剧	diànshìjù	9		份	fèn	10
电影	diànyǐng	9		服务员	fúwùyuán	5
电影院	diànyǐngyuàn	10		副1	fù	3
电子邮件	diànzǐ yóujiàn	3		副2	fù	8
电子游戏	diànzǐ yóuxì	9		父亲	fùqin	4
顶	dǐng	1				
东方	dōngfāng	10	**G**			
冬天	dōngtiān	7		感恩节	Gǎn'ēn Jié	12
动	dòng	7		高	gāo	7
都	dōu	9		高尔夫	gāo'ěrfū	9
读	dú	10		干洗	gānxǐ	8
堵车	dǔ chē	6		哥哥	gēge	4
度	dù	7		个	gè	1
锻炼	duànliàn	6		给	gěi	1
对⋯⋯感兴趣	duì⋯gǎnxìngqu	9		宫保鸡丁	gōngbǎojīdīng	5
对面	duìmiàn	11		工厂	gōngchǎng	12
多	duō	6		公共汽车	gōnggòng qìchē	6
多大	duōdà	4		工作	gōngzuò	4
多少	duōshao	1		工作狂	gōngzuòkuáng	9
多云	duōyún	7		购物	gòuwù	12
				顾客	gùkè	1
E				刮风	guā fēng	7
饿	è	5		逛街	guàng jiē	9
儿子	érzi	4		规模	guīmó	11

贵	guì	6
国庆节	GuóqìngJié	12
果汁	guǒzhī	5
过	guò	12
过目	guò mù	11

H

还	hái	11
海	hǎi	7
汉语	hànyǔ	2
好	hǎo	3
好好儿	hǎohāor	12
好久	hǎojiǔ	12
号	hào	2
号码	hàomǎ	3
盒	hé	1
和	hé	4
黑色	hēisè	8
很	hěn	5
壶	hú	5
滑雪	huá xuě	12
换	huàn	9
黄色	huángsè	8
灰色	huīsè	8
回	huí	6
会议	huìyì	8
火车	huǒchē	6
火鸡	huǒjī	12

J

机场	jīchǎng	6
激烈	jīliè	11
几	jǐ	2
记	jì	8
系	jì	8
计划	jìhuà	12
季节	jìjié	7
家	jiā	4
加班	jiā bān	9

夹克	jiákè	8
件	jiàn	1
见面	jiàn miàn	10
角	jiǎo	1
饺子	jiǎozi	5
教堂	jiàotáng	10
接机	jiē jī	12
接近	jiējìn	11
结婚	jié hūn	10
节日	jiérì	12
结账	jié zhàng	5
姐姐	jiějie	4
解决	jiějué	11
介绍	jièshào	10
斤	jīn	5
今天	jīntiān	2
紧张	jǐnzhāng	11
经常	jīngcháng	6
经济学	jīngjìxué	10
经理	jīnglǐ	3
经历	jīnglì	10
竞争	jìngzhēng	11
九	jiǔ	1

K

开1	kāi	5
开2	kāi	6
开始	kāishǐ	9
看	kàn	2
看来	kànlái	12
烤鸭	kǎoyā	5
可乐	kělè	1
可以	kěyǐ	3
可是	kěshì	6
课	kè	2
刻	kè	2
客户	kèhù	12
客人	kèrén	5
块	kuài	1

快	kuài	5	没关系	méi guānxi	7
会计	kuàiji	4	没有	méiyǒu	4
			每	měi	2
L			妹妹	mèimei	4
辣	là	5	们	men	5
来	lái	5	迷	mí	9
蓝色	lánsè	8	米饭	mǐfàn	5
劳动节	Láodòng Jié	12	秘书	mìshu	3
老	lǎo	9	面条	miàntiáo	5
老师	lǎoshī	4	名片	míngpiàn	3
累	lèi	6	明天	míngtiān	2
冷	lěng	7	明显	míngxiǎn	11
离	lí	6	摩托车	mótuōchē	6
里边	lǐbiān	5	母亲	mǔqin	4
例会	lìhuì	12			
聊天	liáo tiān	9	**N**		
凉快	liángkuai	7	拿……开心	ná…kāixīn	12
两	liǎng	1	哪儿	nǎr	4
辆	liàng	6	那	nà	8
零	líng	1	男	nán	11
零下	língxià	7	南方	nánfāng	10
领带	lǐngdài	8	南美	Nánměi	11
刘	liú	3	呢	ne	4
六	liù	1	内衣	nèiyī	8
绿色	lùsè	8	你	nǐ	2
律师	lùshī	3	年	nián	2
			年轻	niánqīng	4
M			您	nín	1
吗	ma	3	牛奶	niúnǎi	1
麻烦	máfan	6	牛仔裤	niúzǎikù	8
麻婆豆腐	mápó dòufu	5	暖和	nuǎnhuo	7
马上	mǎshàng	11	女	nǚ	11
买	mǎi	1			
买单	mǎi dān	5	**O**		
慢	màn	6	欧洲	Ōuzhōu	11
毛	máo	1			
毛衣	máoyī	8	**P**		
帽子	màozi	1	爬	pá	9
玫瑰花	méiguīhuā	12	盘	pán	5

跑步	pǎo bù	9	稍	shāo	5
泡汤	pào tāng	12	少	shǎo	6
陪同	péitóng	12	山	shān	9
朋友	péngyou	9	商店	shāngdiàn	6
批	pī	12	商量	shāngliang	11
啤酒	píjiǔ	5	上班	shàng bān	2
皮鞋	píxié	8	上海	Shànghǎi	6
便宜	piányi	6	上午	shàngwǔ	2
瓶	píng	1	谁	shéi	4
			什么	shénme	2
Q			生日	shēngrì	12
七	qī	1	生意	shēngyi	12
妻子	qīzi	4	圣诞节	Shèngdàn Jié	12
骑	qí	6	市场部主管	shìchǎngbù zhǔguǎn	10
其中	qízhōng	11	师傅	shīfu	1
起床	qǐ chuáng	2	十	shí	1
气温	qìwēn	7	时候	shíhou	2
洽谈	qiàtán	12	是	shì	3
钱	qián	1	世界	shìjiè	11
巧克力	qiǎokèlì	12	手机	shǒujī	3
情况	qíngkuàng	11	售货员	shòuhuòyuán	1
晴天	qíngtiān	7	书	shū	2
请	qǐng	5	舒服	shūfu	7
秋天	qiūtiān	7	双	shuāng	1
求	qiú	9	水洗	shuǐxǐ	8
取	qǔ	8	睡觉	shuìjiào	2
去	qù	6	说	shuō	8
全家福	quánjiāfú	4	硕士	shuòshì	10
			私家车	sījiāchē	6
R			四	sì	1
人	rén	4	送	sòng	12
人均	rénjūn	11	酸	suān	5
认识	rènshi	10	虽然	suīrán	11
日	rì	2	岁	suì	4
如果……就……	rúguǒ…jiù…	9	所以	suǒyǐ	8
S			**T**		
三	sān	1	T恤	T xù	1
三明治	sānmíngzhì	1	他	tā	2

她	tā	2
太	tài	6
套	tào	8
套裙	tàoqún	8
体育台	tǐyùtái	9
天	tiān	2
天气	tiānqì	7
甜	tián	5
条	tiáo	8
听	tīng	8
通知	tōngzhī	11
图	tú	11

W

玩儿	wánr	9
碗	wǎn	5
晚饭	wǎnfàn	2
晚礼服	wǎnlǐfú	8
晚上	wǎnshang	2
网球	wǎngqiú	9
位	wèi	5
为什么	wèishénme	7
五	wǔ	1
午饭	wǔfàn	2
雾	wù	7

X

西服	xīfú	8
西红柿炒鸡蛋	xīhóngshìchǎojīdàn	5
喜欢	xǐhuan	5
洗衣店	xǐyīdiàn	8
洗澡	xǐzǎo	2
下班	xià bān	2
下降	xiàjiàng	11
下午	xiàwǔ	2
下雪	xià xuě	7
下雨	xià yǔ	7
夏天	xiàtiān	7

销售	xiāoshòu	11
小	xiǎo	7
现在	xiànzài	2
相配	xiāngpèi	8
想	xiǎng	5
消费量	xiāofèiliàng	11
鞋	xié	1
谢谢	xièxie	3
新	xīn	11
星期	xīngqī	2
行	xíng	9
幸福	xìngfú	4
休息	xiūxī	12
休假	xiū jià	12
休闲服	xiūxiánfú	8
需要	xūyào	8
学历	xuélì	10
学习	xuéxí	2
雪碧	xuěbì	5

Y

亚洲	Yàzhōu	11
颜色	yánsè	8
眼镜	yǎnjìng	8
宴请	yànqǐng	12
羊毛	yángmáo	8
要求	yāoqiú	8
要	yào	1
也	yě	4
一	yī	1
一共	yígòng	1
一点儿	yìdiǎnr	5
一些	yìxiē	11
一直	yìzhí	10
衣服	yīfu	8
医生	yīshēng	4
已经	yǐjīng	11
阴天	yīntiān	7
因为	yīnwèi	9

音乐	yīnyuè	9	正式	zhèngshì	8
银行	yínháng	4	正在	zhèngzài	9
饮料	yǐnliào	5	知道	zhīdào	5
应该	yīnggāi	6	之间	zhījiān	11
游泳	yóu yǒng	7	职务	zhíwù	10
有	yǒu	4	职员	zhíyuán	4
有点儿	yǒu diǎnr	5	只	zhī	5
有时候	yǒu shíhou	7	只有……才……	zhǐyǒu…cái…	8
又	yòu	6	中国	Zhōngguó	6
雨伞	yǔsǎn	7	中秋节	Zhōngqiū Jié	12
预报	yùbào	7	中午	zhōngwǔ	2
元	yuán	1	重要	zhòngyào	8
元旦	yuándàn	12	周	zhōu	9
元宵节	Yuánxiāo Jié	12	周末	zhōumò	8
远	yuǎn	6	主食	zhǔshí	5
月	yuè	2	助理	zhùlǐ	10
月饼	yuèbing	12	专业	zhuānyè	10
月亮	yuèliang	12	转	zhuǎn	7
越来越	yuèláiyuè	7	自行车	zìxíngchē	6
			走路	zǒulù	6
Z			足球	zúqiú	9
在	zài	3	最	zuì	5
糟糕	zāogāo	7	最近	zuìjìn	11
早饭	zǎofàn	2	昨天	zuótiān	2
早上	zǎoshang	2	左右	zuǒyòu	11
怎么	zěnme	6	做	zuò	4
怎么办	zěnmebàn	6	坐	zuò	5
增长	zēngzhǎng	11	座机	zuòjī	3
占	zhàn	11			
张1	zhāng	3			
张2	zhāng	5			
丈夫	zhàngfu	4			
招聘	zhāopìn	11			
着	zháo	8			
找	zhǎo	1			
赵	zhào	3			
这	zhè	1			
这儿	zhèr	5			
真	zhēn	4			